La letrada

Mónica Albizúrez

I Bienal Guatemaleca de Novela "Terrena"
Ganadora 2022

Mónica Albizúrez

LA LETRADA

La letrada
Mónica Albizúrez

© Mónica Albizúrez
© Esta edición, F&G Editores

Diseño de portada: F&G Editores
Imagen de portada: Andrea Monroy, *Tríptico 3 C'S: Estandarte corazón* (2022). Bordado con hilo industrial e hilo teñido con sacatinta, cochinilla y cúrcuma sobre lienzo de manta cruda, hilo de algodón crudo, piedra pómez, bolillos de ciprés. 140 cm x 126 cm x 10 cm. Imagen cortesía de la artista y Galería Extra. Foto por Cristian Suy.
Foto de la autora: archivo personal.
Imágenes de interiores: página 44: <https://nomada.gt/blogs/el-racismo-y-el-fundamentalismo-religioso-matan/>; página 99: <https://www.plazapublica.com.gt/content/pienso-en-arbenz#>; página 156: <https://prensacomunitar.medium.com/la-enemiga-interna-84f72bb341e8>.
Logotipo de Terrena: Punto Mandarina
(www.puntomandarina.com)

La letrada ganó la I Bienal Guatemalteca de Novela "Terrena", edición 2022. "Terrena" fue posible gracias al patrocinio de BANRURAL y el Centro Cultural de España como un apoyo a la cultura de Guatemala. Ambas instituciones son ajenas al contenido de la novela.

Impreso en Guatemala
Printed in Guatemala
F&G Editores
31 avenida "C" 5-54, zona 7
Colonia Centro América. Guatemala, Guatemala
Teléfonos: (502) 2292 3792 y (502) 2439 8358
informacion@fygeditores.com — www.fygeditores.com

ISBN: 978-99939-38-08-8
Colección Terrena - 1

Guatemala, marzo de 2023

A mi padre, Francisco Albizúrez

A Niels, siempre

Hay otro mundo, pero está en este.
Il y a un autre monde mais il est en celui-ci.
Paul Éluard

ENTRECRUZAR

VESTIDO

En el fondo de la caja rotulada *Infancia*, Claudia toma una foto de tonos violáceos que delatan la premura de una Polaroid. Quiere acariciar la superficie, pero se pincha el dedo con una grapa mal puesta en el marco de cartón y un punto de sangre le trae el calor de ese día, cuando camina hacia un estudio fotográfico ambulante a un costado del Santuario, moviendo los pies en unos caites que rechinan con cada paso. El sudor le cae desde la frente hasta la nariz. Se toca los labios para ver si todavía están pintados. El rojo carmín se adhiere a sus dedos y se imagina como el payaso que animó su último cumpleaños.

El huipil le queda demasiado grande, Claudia lo sabe, a pesar de sus esfuerzos por doblarlo en la cintura. Tiene miedo de que la faja se deslice y de pronto el corte caiga y quede desnuda entre la muchedumbre, lo que termina por enterrar su deseo por estar allí. La madre, en cambio, se mueve con entusiasmo y observa en los cuatro puntos cardinales hasta que localiza al fotógrafo, un hombre de rostro ajado y panza enorme, quien con un gesto mecánico coloca a la niña en el centro de una cueva forrada de hojas de palma y musgo. Cuelgan a los lados chinchines, pájaros de china y sopladores de pita. Recuerda Claudia una tinaja de plástico verde que le entregó el fotógrafo y su *ríase mi amor* repetido varias

11

veces. Un olor a vestimenta ajena luchaba contra la propia piel. Zoila, la madre evangélica, vigila la escena y le advierte a la hija que la foto que llevan entre las manos es secreta. Nadie entendería en la Iglesia de los cristianos renacidos de Elim la vuelta a la fe católica de los santos ese 12 de diciembre de 1984.

Claudia salta de susto con cada bomba, a medida que atraviesa el atrio de la iglesia rumbo a la segunda avenida de la zona 1. El olor a incienso y a pólvora quemada se impregnan en el pelo, mientras la humareda hace más imprecisos los pasos de madre e hija entre las ventas callejeras. Claudia voltea a ver un muro que no es parte de la iglesia ni de las casonas aledañas, sino del Paraninfo Universitario y puede leer en letras negras, *vivos se los llevaron, vivos los queremos*. Los escapes descompuestos de camionetas estallan en lapsos regulares. La niña quiere salir de esas calles, entrar en el carro, sacarse la faja, quitarse el huipil, estirar las piernas y respirar.

Ese acto devocional de la madre, ese disfraz indígena para Claudia, se repitió cinco años consecutivos. Ella lo olvidó por muchos años, hasta que un mediodía, atrapada en el tráfico, decidió refugiarse unas horas en el Museo Ixchel del Traje Indígena. Deambuló entonces por las salas de ladrillo, nadie estaba allí a esa hora. Poco o nada se fijó en las cosmogonías y los ciclos vitales de los trajes y, en cambio, se sintió arrastrada por una reiteración de ausencias, porque cada maniquí carecía de rostro. Las cabezas eran esferas de una tela color blanca, sin un rasgo que representara la vida humana. Los maniquíes parecían extraterrestres, salidos de una galaxia lejana, sin ojos, sin nariz, sin boca, sin orejas. Todos blancos.

Claudia recordó su desconcierto frente a la cámara aquel lejano 1984. Su rostro desaparecido por el *flash* como otra tela que asfixiaba. Pensó en los pequeños actos de la infancia que inauguran preguntas que apenas serán contestadas décadas después, en momentos de incertidumbre. Las crisis son eso, un retorno a las primeras preguntas. Quién es ella ahora, se interpela Claudia frente al insulso maniquí, mientras el reflejo de una ventana estampa un terror a las sonrisas forzadas.

CORTAR

En los archivos se crea una extraña intimidad con los documentos. A veces asalta un instinto de posesión violenta. Arrancar la hoja, por ejemplo, y llevársela debajo de la blusa por si las letras luego toman otro sentido y, entonces, tenerlas cerca. Claudia lo sabe. Pasó varios meses escarbando en secciones especiales de las bibliotecas y en archivos, y cuando se disponía a concluir con una caja de documentos, vacilaba. Quizás había obviado un detalle o no había leído correctamente unas líneas. Escrudiñaba el gesto de la bibliotecaria como queriendo obtener un signo de afirmación, *usuaria, ya es suficiente, devuelva la caja*. Ahora frente a ella no hay una archivadora, sino el silencio. Se resiste a guardar la foto. Quiere averiguar qué hizo su madre con esos trajes indígenas que usó año tras año, así que toma el iPhone y la llama. Zoila no entiende eso de trajes indígenas.

Ah, de indita, me decís, sí ya me recuerdo.

Zoila cuenta que algunas piezas las recortaron y sirvieron de trapos de cocina. Se deshilaron por el uso.

Pero un huipil lo mandamos a enmarcar y lo colgamos en la oficina de tu papá.

La voz de su madre siempre le ha parecido a Claudia un muro construido para impedir que las emociones migren. Tan difícil recordar alguna modulación que astillara la distancia entre ellas. Zoila se había aferrado siempre a un principio, aunque significara destruir a los que estaban cerca, y a pesar de errores o caídas, nunca se había cuestionado nada y, por tanto, las dudas de Claudia la irritaban. Impensable seguir la conversación, concluye Claudia cuando aduce demasiado trabajo y cuelga el teléfono. Se sienta en el suelo para lanzar fotos antiguas como si se tratara de un juego de solitario. Quiere borrar una imagen, no la del disfraz sino la del cuerpo no consentido.

Lo había visto después de doce años. Desde lejos, protegida por una columna, había reconocido el cuerpo robusto del profesor y un constante menear el brazo derecho, como un apoyo para mantener la atención del interlocutor. Parecía un cangrejo.

Ella no había escuchado su risa, porque a esa hora el patio de la universidad hervía de gente, y era imposible, a treinta metros de distancia, poner decibeles a la boca abierta del profesor. Había esperado a que él desapareciera por las gradas y entonces, cuando otra vez el espacio le pareció familiar, avanzó hacia el salón de clases donde enseña el curso de Introducción a la historia política de Guatemala. Claudia respiró hondo. Cerró la puerta y, de nuevo en control de sí misma, recordó que el tema de clase sería la Reforma Liberal de 1821. Después de tomar un sorbo de agua, la profesora pide a un estudiante que apague la luz. Ella proyecta en el muro del aula fotos en blanco y negro. Fotos de un país en transformación. Fotos de tierra removida, de canastos llenos de café, de hombres y mujeres desconcertados. Fotos de indígenas. Fotos de Edward Muybridge.

Claudia va explicando las ideas y los contextos, pero de pronto su atención se atasca en la imagen de un grupo de mujeres indígenas que lavan la ropa en la cuenca de un río. Sin embargo, no lavan en realidad, están obligadas a posar. Recorre con la mirada los pechos desnudos, los rostros serios, los ojos que se esfuerzan por eludir la cámara, el pelo largo que sirve como escudo. Piensa en la indefensión ante el fotógrafo y en el cuerpo que se esconde ante el ojo extranjero. Vuelve, como otra sombra en el aula, el propio cuerpo lastimado por aquel hombre. Ante el silencio de la profesora, una estudiante pregunta si hay más fotos o puede encender la luz.

Sí, ya terminamos, asiente ella y cierra los ojos cuando el salón se aclara.

Es ya tarde y ha sido un día largo. Los estudiantes salen como potros hacia el campo abierto. Claudia se sienta en una silla, busca unas pequeñas tijeras que guarda en un apartado interno de la bolsa y saca la foto Polaroid, de la que ya no se separa desde el hallazgo en la caja de la infancia. La toma firmemente y, como si se tratara de una manualidad del colegio, recorta, con el mayor cuidado, su rostro. Imagina meter la cabeza en ese agujero y huir.

BURÓCRATA UNIVERSITARIA VIGILADA

Tantas veces había caminado en este corredor, como estudiante y luego como coordinadora académica en la Facultad de Ciencias Políticas y Sociales, pero Claudia nunca había puesto atención en la perspectiva que, desde el segundo piso, podían tener de ella si alguien quisiera seguirla. Por un segundo se le figura que el lente de un telescopio enfoca sus pasos. Recuerda la época cuando su papá tenía un guardaespaldas que lo acompañaba a todas partes porque las cosas en la finca estaban color de hormiga. Parece una hormiga exhausta, debe acelerar el paso, va tarde. Tendría ganas de volver a la cama y leer un libro, o poner un *podcast* y olvidarse de que ese hombre anda cerca.

Entra en la oficina, acomoda sus carpetas y un par de libros que debe escanear para los estudiantes. Enciende la computadora, y entonces se da cuenta de que debe estar en la firma del convenio con la cooperación sueca. Se pone rápidamente el saco para asistir a un acto que normalmente no le correspondería, porque el decano ha aplicado al pie de la letra los seminarios sobre universidad y mercadotecnia. Cada coordinador se hace presente según la apariencia. Rosa, con traje indígena, lo acompaña cuando Estados Unidos o Europa financian proyectos. Miguel, exseminarista que sabe bien de la manipulación de las conciencias, está presente si se trata de una familia católica que ha decidido donar un patrimonio. A ella, ladina de la capital, le corresponden las empresas transnacionales, pero ante la ausencia de Rosa, entra en el salón, saluda al decano y se busca un asiento en la segunda fila. Un remolino de viento roza su espalda.

El maestro de ceremonias anuncia las notas del himno nacional. Los asistentes se ponen de pie, colocan la mano derecha en el pecho y tararean la letra de José Joaquín Palma. Claudia deja los brazos al lado del cuerpo. Se acostumbró ya a las miradas de reojo. Ve hacia abajo y se pierde en una pequeña grieta del suelo. No se da cuenta de que el decano toma la palabra y agradece el apoyo del mundo a Guatemala. Sigue refugiada en la grieta que la conduce a otra apertura, un zipper que se extiende y da paso a las manos inquietas que sacan la billetera. Claudia examina la foto cercenada. Se pregunta por el origen del traje indígena que llevó de niña.

El embajador sueco pronuncia un discurso breve a golpe de un fleco rebelde y reitera que los lazos de amistad seguirán con Guatemala y la Universidad a pesar de todo. El embajador canche de pelo lacio se refiere a un país que se está descarrilando, como este día que amenaza con nubes negras y arrastra a la ansiedad. Es necesario un plan, se dice Claudia, y para ello escrudiña la información de los cursos del trimestre en el departamento de literatura. Localiza el nombre. Apunta el horario. Miércoles de 15:00 a 18:00. Poco riesgo de toparse con el tipo, se asegura a sí misma mientras se esfuerza por dar un salto en el tiempo hacia delante e imaginar las vacaciones de fin de año con Gérard. Se vislumbra en el bikini negro que ha visto en una tienda en línea, pero esta imagen pronto se distorsiona y ella aparece desnuda con las manos sobre el pubis y sin cabeza.

Claudia no puede concentrarse en el trabajo ni evadirse hacia los sueños en el resto del día. Le pidieron completar un expediente de certificación internacional. Desde hace meses, ejerce tareas que la exilian del conocimiento y la convierten en una burócrata que llena formularios, firma certificados, asiste a reuniones y elabora dictámenes. En la lengua se le ha pegado una jerga pedagógica que paraliza la rebeldía de la curiosidad. Quiere desahogar la rutina con un café que no sea el insípido de la cafetera de la facultad. Toma la billetera, sale de la oficina y se abre paso entre los estudiantes que ríen y se mueven en forma accidentada. Pide un cappuccino en la cafetería, agarra con firmeza el vaso de cartón y, a medida que vuelve a la facultad, escucha unos pasos detrás de los suyos. Se apresura a caminar mientras el eco de los zapatos de quien está detrás de ella golpea con más fuerza. Son unas pisadas masculinas. Claudia acelera entonces para huir de los pasos y de la memoria. Atraviesa el corredor a zancadas como animal asustado, se topa con un arriate y el tacón se enreda en el alambre. Cae al suelo. Se le viene encima una sombra con unas manos grandes que le tocan la espalda, mientras el hombre, al que pertenecen esas manos, le pregunta si está bien. Claudia levanta la mirada y contesta no me fijé en el arriate. El hombre es un empleado de tesorería. Ella parece una penitente que pide perdón de rodillas. Apoyándose en un arbusto, logra ponerse de pie.

La blusa tiene una mancha café. El cuello le huele a leche. El codo está raspado, pero Claudia hace como si nada hubiera pasado, se cubre con las manos el frente de la blusa para esconder la mancha. Cuando entra la oficina, y la persecución imaginada ha terminado, Claudia estalla en un grito sordo que solo ella escucha. Rasga una hoja de papel.

El teléfono suena, es Gérard que propone encontrarse por la noche.

MEDUSA, LAS MANOS

El apartamento condensa la humedad de los días de lluvia. Los libros dispuestos en doble fila en las libreras dificultan la ventilación. Gérard imagina que detrás de ellos suben manchas verdes negruzcas que van a delatar que su novia convive con hongos y mohos. Él cuenta los días para mudarse con Claudia a la nueva casa que está construyendo lejos de ese centro histórico. Se resiste a pensar que alguien rentará el apartamento, pero ya varios conocidos están interesados. Cuando les ha preguntado por qué quieren venirse a vivir a ese espacio pequeño, de paredes viejas y mala ventilación, contestan que está bien ubicado. Resaltan una pequeña ventana desde la que se ven los tejados. Indican que las puertas art déco tienen un encanto. Insisten en que los pisos son únicos. Dicen que el lugar es acogedor.

Gérard deja de examinar las libreras. Claudia pasa a ser el objeto de inspección. La ve demasiado delgada y quiere decir estás hecha un hueso. Pero mide las palabras. Sabe que la delgadez de su novia transita por ciclos según pugnas internas. Él ha aprendido a leer la tensión de Claudia en un cuerpo de caderas saltadas y costillas que extreman la dureza del tejido óseo. Por ello, comenta que parece que ella ha bajado de peso.

Un par de libras tal vez.

No, jodás, varias.

No, estás viendo mal. Son los nervios, tanta vaina.

Tanta vaina queda retumbando en el oído de Gérard, quien solamente es capaz de detectar una insatisfacción laboral. No entiende la voluntad de seguir trabajando en una universidad que paga mal y la hace trabajar fines de semana, como tampoco la falta de previsión en las compras. Apenas hay en la alacena dos tomates, una cebolla y un diente de ajo. Le sigue sorprendiendo que Claudia viva del menudeo. La ha visto, al final del día, empujar un carro de supermercado con una lata de atún o detenerse una mañana de fin de semana en el mercado por un par de mangos bajo la consigna del odio por acumular provisiones. Gérard lo que odia es verla tan delgada, así que toma una olla, pone agua a hervir y echa la pasta que languidece entre las burbujas. Platica.

Vamos bien en el periódico digital, las investigaciones de Andrés son buenas.

No me extraña.

Gérard sigue contando sobre el periódico digital en el que ha invertido capital acumulado en los años de trabajo en la importación de maquinaria agrícola y después en la publicidad. Claudia observa los gestos de su novio cuando habla, pero no lo escucha. Se extravía en el recuerdo. Se traslada a la librería Sophos, recién inaugurada. El olor a papel desempacado. Las luces que titiriteaban la timidez de quienes, después de la guerra, tomaban un libro y se sentaban a platicar. Andrés y ella buscaban el mismo libro y lo pidieron al unísono. Se presentaron con sus nombres, aunque ya se habían cruzado en los pasillos de la universidad y en algún curso introductorio. Esa vez no hablaron mucho, pero lo suficiente para quedar en reunirse y comentar las novelas asignadas en la clase de literatura y política. Los primeros encuentros en la cafetería universitaria fueron raros, rememora Claudia. Ella ejercía cautela en sus opiniones y, para compensar la escasez de palabras, movía constantemente los brazos activando el choque ruidoso de sus pulseras. Andrés detenía el habla en cada golpe y terminó por preguntar una tarde si en verdad ella quería seguir la charla. Claudia asintió que por supuesto sí, y acotaría que el terreno de la interpretación secular era nuevo para ella, cuya educación literaria y sentimental venía del colegio neopentecostal en donde había pasado la secundaria comentando libros de autoayuda y rindiendo exámenes que evaluaban la habilidad para ser convencida por un versículo o alguna frase motivadora. En su casa, nadie había comprado libros. Quizás por ello, le dijo a Andrés, mi gusto por las telas, es más, en los tejidos me he formado. Claudia todavía puede ver la mirada sorprendida de Andrés cuando ella terminó de explicar que no había leído nada de Miguel Ángel Asturias, pero sabía tejer todas las puntadas.

Claudia nunca supo del Andrés seducido, de la urgencia por masturbarse después de las conversaciones en la cafetería, recordando el puntiagudo escote de la interlocutora y sus piernas largas. La novedad erótica caducó, empero, a los pocos meses. Entre Claudia que divaga frente al vaho de la pasta y Andrés que seguramente anda por las calles buscando historias, se forjó una amistad apenas interrumpida por la aparición de Gérard, a quien le costó entender la cercanía de la novia con el periodista. Después vendría la idea de Gérard, la de invertir en un periódico digital y su consentimiento a la propuesta de Claudia, Andrés era el candidato perfecto para investigación.

Pasta terminada.

Pasta terminada, aquí tierra, segundo aviso.

Claudia aterriza y alcanza los platos. Gérard sirve los espaguetis y abre los ojos ante la pregunta de Claudia.

¿A vos no te vistieron de indígena?

¿Cómo así?

Para el día de Guadalupe, digo.

No, nada que ver.

A mí me disfrazaron varias veces.

Claudia saca la foto de su bolsa. Gérard se asusta al ver un cuerpo sin cabeza, pero no está muy interesado en indagar las pulsiones de su novia por desfigurar imágenes. Su atención está fija en la madre que vuelve.

En una semana está aquí.

Quiero averiguar más sobre este traje indígena.

Los diálogos entre Gérard y Claudia se bifurcan. Él insiste en que respira humedad en esa sala. A ella le molesta la crítica, pero no dice nada. Recogen la mesa, lavan los platos en silencio y luego se internan en sus iPads. Gérard lee sobre una plaga de medusas en Roatán. Traslada el animal al cuerpo de Regina, su madre, quien puede prenderse fuerte, y entre palabras solapadas, hundir fieramente el aguijón. Gérard se acaricia el brazo para comprobar que sigue a salvo, su madre todavía se encuentra lejos, mar adentro, su madre-medusa-letrada.

Claudia, por su parte, no encuentra datos sobre el huipil y el corte que usó de niña. Los caminos equívocos de la red la extravían hacia los versos de la poeta Maya Cú,

mi madre tejedora
transformaba en lienzos las palabras
para que perduraran

Claudia se levanta, busca un cuaderno garabateado y la caja de galletas danesas que recuperó de la bodega de sus padres. Copia con lentitud los versos leídos en el cuaderno, como si estuviera repasando con dedos poco diestros las planas de la escuela primaria. Luego, abre la caja redonda y azul. Adentro quedan pedazos de telas, agujas, un dedal y botones empleados en la clase de educación para el hogar. El aluminio de la caja enciende un fogonazo en la memoria. Escenas remotas que retratan a Claudia sentada junto a sus compañeras aprendiendo a bordar paneras, y más tarde manteles de croché y, ya al final de la secundaria, un ajuar de bebé en puntadas panalito y diente de perro, que al mundo inconforme de la adolescente cristiana habían traído una extraña paz.

La profesora de políticas cierra la caja, examina sus manos, calibra si todavía queda algo de aquellas destrezas. Necesita tocar la piel de Gérard. Se acerca a él, quien levita en otro mundo. Ella pone manos sobre manos, quiere conectarse. Gérard revira del susto y la empuja sin querer. Imagina la gran medusa.

CADÁVER TATUADO

Puta, me chorreé el brazo de sangre.

El médico forense se queja mientras toma el suéter de la víctima para limpiarse con gesto de asco. De lejos, algunos transeúntes miran el levantamiento del cadáver. No es ninguna novedad en el vecindario de la colonia Roosevelt este hallazgo. Pero este cuerpo llama la atención por la protuberancia. Parece una colina.

Andrés se abre paso hasta el cordón puesto por el Ministerio Público. El cadáver es una adolescente de quince años que él entrevistó hace unas semanas para un reportaje. Se llamaba Lorena y tendría al día de hoy un embarazo de seis meses. La noticia ya circula en las redes y los provida cuestionan por qué el forense no realizó una cesárea de emergencia. Dicen que un feto de seis meses puede vivir después de la muerte cerebral de la madre y, quizás, el corazón dentro del cadáver latía. Nadie se interesará por un forense que contamina la escena del crimen, sino por pinturas de fetos coronados con aura de ángel con las que se discute cuándo empieza la vida.

Había conocido a Lorena en un albergue municipal de barrotes gruesos. Parecía una cárcel, había anotado el periodista en su libreta. La muchacha le había contado con voz infantil que se había embarazado por incesto. No fue la primera vez que me hizo eso, le había confesado Lorena con la mirada puesta en el bajo vientre.

Pásenme los hisopos, muchá.

El forense se dirige a los dos asistentes, que no paran de ver sus teléfonos deseando ya cargar el cuerpo en el carro y trasladarlo a la morgue.

Mano, yo digo que era marera, aquí pueden ver el tatuaje.

En la espalda de Lorena yacen dos pájaros de alas grandes.

Andrés observa la escena. Se acostumbró a ver cadáveres mucho antes de entrar al periodismo. Pasó de niño al lado de ellos, en el departamento de Zacapa, al oriente del país, en donde la justicia se resuelve con matones. Discusiones entre vecinos, linderos no claros, infidelidades. Hasta peleas de gallos y, en los últimos años, contrabando y tumbes de droga. Andrés creció en un paisaje de sábanas blancas en la calle.

La mañana es particularmente agobiante. Lloverá seguramente en unas horas, cuando en esta calle ya se podrá circular libremente, los curiosos se hayan dispersado y el cadáver etiquetado con XX esté listo para una fosa común en el cementerio de La Verbena. Andrés apunta, posible final para el reportaje: la escena de muerte. Describir el cuerpo de Lorena como una curvatura inerte en el pavimento. No olvidar la figura de la paradoja. El cadáver reposará cerca de una palizada de pinos en el cementerio La Verbena. La muchacha le había dicho a Andrés que, como en los cuentos que le leyeron en la escuela, quería perderse en el bosque.

TRASPLANTAR

¿Puedo trasplantar el geranio?

Gérard se voltea hacia la empleada que limpia la oficina. No sabe por qué le pide autorización. Contesta con un vago sí y vuelve la mirada a la computadora.

La empleada entra al patio interior. Lleva una maceta y una bolsa con tierra. Empieza a sacar el geranio, a extraer con determinación sus raíces que enredan la atención de Gérard esa mañana y lo retroceden en el tiempo, con siete años recién cumplidos, en un país lejano, con un padrastro desconocido. Iba de la mano de Regina cuando incursionaron en un jardín quemado por el invierno y luego entraron a una casa tomada por los libros. Interrogado sobre cómo se sentía, Gérard dijo triste.

Esos libros ocuparían para siempre la atención de Martin y de su madre. Parecían dos sonámbulos, ella escribiendo una tesis doctoral sin objetivos pragmáticos para el futuro y su padrastro llevando adelante una carrera académica insaciable. Siempre había pendientes. El final de un artículo era el inicio del siguiente. A una conferencia seguía otra. El logro de una beca exigía la próxima. Como en una rueda aceitada de prestigio, se movía Martin. Como una rueda también pululaban a su alrededor estudiantes, rogando la aprobación del profesor, congratulándose por una firma, a veces arrobados en éxtasis por una palabra que consagrara la fugitiva fama de una idea. Le parecían a Gérard esos estudiantes como los siervos de la corte de un rey. A veces soñó que alguno de ellos ejecutaba a Martin.

Cuando la empleada llena la maceta de tierra fresca, Gérard ya ha perdido toda concentración. Recuerda su mediocridad escolar. Los cursos ganados como gato panza arriba. Las llegadas de Regina a la escuela. El problema de este joven, habían dicho los maestros de escuela, es que no se integraba. Esta palabra ofendió a su madre, pues ella podía entender las dificultades de un niño migrante de un barrio marginal pero no las de su hijo, que había llegado de siete años a Alemania y vivía rodeado de cultura. La pregunta insistente de Regina, ¿qué te molesta en la escuela?, fue estéril. No le molestaba en realidad nada, así contestó él reiteradamente. Lo que le incomodaba era venir de un país inexistente en los mapas mentales de los alemanes. Lo que provocaba angustia era el corte de Regina con el pasado. Lo que no soportaba era carecer de historia.

Varias veces Gérard discutió con Martin por qué debía aprender la historia alemana. Porque aquí vives, simplemente, fue la respuesta lacónica del profesor. En todo caso, había agregado Martin, no importa de dónde seas, la historia es fundamental y, como hijo del mundo, debes aprenderla. Gérard confunde el sonido de la pala que la empleada clava en la tierra con su voz impertinente. Martin, no soy hijo de ningún mundo, soy de Guatemala.

La conclusión del *Abitur* fue a tragos y rempujones. Sin saber bien qué estudiar en la universidad, un endeble acuerdo con su madre le permitió a Gérard un año libre para trabajar y, con los ahorros, emprender algún viaje.

La empleada apelmaza la tierra nueva. Cierra la bolsa plástica con restos de las raíces viejas. Se levanta. Fue precisamente la tierra la que propició la vuelta de Gérard a Guatemala. Mientras servía copas en un viejo bar de Sternschanze, reconoció un español particular y la referencia a un país que, según el hablante, tenía el lago más hermoso del mundo. Contra los acordes altiso-

23

nantes de *rock*, Gérard se acercó al muchacho y se presentó como hijo de una guatemalteca. Luego, con más pudor, indicó que había visitado el país una única vez, por pocos días, para el entierro de la madre de su madre, es decir, mi abuela, precisó Gérard. Pablo, así se llamaba el otro guatemalteco, relató entre tragos en el pico de la botella que hacía una pasantía en una empresa de logística. Su padre era cafetalero e industrial. Sus abuelos habían sido cafetaleros. Su bisabuelo alemán había sido cafetalero también. Pablo estaba destinado a continuar la zaga.

Después de varias cervezas compartidas, Gérard se confesó. Quería ir a Guatemala. Vivir en el país. Estaba dispuesto incluso a restablecer el contacto con su padre, quien, durante estos años, había sido una sombra que adquiría voz en las navidades y en los cumpleaños.

Si querés, te conecto con el mío.

¿Lo harías?

Pablo asintió, dispuesto a pagar y perderse en la noche hanseática con el guitarrista que ya empacaba los instrumentos. Gérard creyó que nadie lo llamaría. Sin embargo, al cabo de unas semanas, recibió un correo electrónico de un hombre llamado Fritz Richter, quien le ofrecía unas condiciones de trabajo mínimas, pero suficientes para quedarse unos meses como practicante. El arribo a Guatemala fue organizado en pocos días. Gérard llegó a un país que acababa de firmar los Acuerdos de Paz luego de treinta y seis años de guerra interna. El ambiente en la ciudad parecía de alivio. Incluso, se respiraba cierto optimismo. Grupos de *rock* convocaban multitudes. Artistas sorprendían con performances en las calles. El dinero de las oenegés fluía en proyectos sociales, aunque en realidad, poco se hablaba de los millones de desplazados, de los muertos y las viudas, y de los desaparecidos. Menos se relacionó Gérard con aquel país alternativo y herido, y en su lugar, se metió de lleno en la empresa de maquinaria agrícola de Richter, estableciendo rápidamente contacto con el círculo de los empresarios alemanes. *Du wirkst wie ein richtiger Deutscher*, había escuchado Gérard en sus primeras incursiones en el Club Alemán, en donde empezó a conocer una Alemania distinta a la de las colegas docentes de Regina, que siempre defendían una causa en el tercer mundo y a la de su padrastro, que votaba a los verdes. Esa colonia alemana en Guatemala fue determinante en el camino ascendente de Gérard, quien adquirió seguridad en sí mismo y pasión por el trabajo. Pero también la decisión de quedarse en Guatemala complicó la relación con Regina.

Gérard nunca pudo imaginar la muerte prematura de Martin. Está nervioso por el retorno de la madre. Se levanta del escritorio y va hacia el vidrio que separa el patio interno de su oficina. Observa el geranio trasplantado. Le parece escuchar su propia voz de auxilio.

La empleada no aparece más. En una esquina de la conserjería, ella está llamando a su hija para asegurarse de que ya esté en la casa. En la colonia Roosevelt apareció el cadáver de una muchacha.

POSES ANTE LA CÁMARA

Es miércoles. Ese día de la semana cuando se impone la invisibilidad. Ella siente miedo de encontrarse con el profesor en un corredor, en la cafetería o en el parqueo. Allí localiza los lugares de riesgo. Claudia se ha vuelto una cartógrafa del espacio para pasar inadvertida ese largo miércoles, cuando el profesor dicta clase en la universidad. Desearía disfrazarse, ponerse una peluca y circular libremente.

Los oídos de Claudia se han vuelto alertas. Atrapan lo que antes hubiera sido un ruido esquivo. Y cuando la atención se enciende, Claudia inclina la cabeza, se acerca al origen del vocablo y se precipita en las connotaciones. Cada expresión entraña un doble sentido que la amenaza. En esa lucha con las palabras, Claudia paraliza de pronto los actos más insignificantes, como cuando se quita el suéter para volver al escritorio y la voz chillona de la secretaria transita sobre los tabiques de las oficinas y se escucha que otra muchacha fue encontrada muerta. La secretaria relata una historia de posibles falsificaciones. Una muchacha de diecinueve años, quien seguramente yace como cuerpo inerte en alguna calle de la ciudad, había sido violada por el novio un año antes de su desaparición, de acuerdo con el testimonio de la madre en el telenoticiero de la noche. La secretaria dictamina la incongruencia. La madre ha mostrado una foto de la víctima, tomada en el cumpleaños número 18 después de la supuesta violación. En esa foto la muchacha sonríe. Allí radica la trampa. Ninguna mujer podría sonreír después de lo ocurrido, menos celebrar la vida. A esa muchacha le correspondía la reclusión, el llanto, la marca de un morete o un hueso roto, la comparecencia a un juzgado. La madre posiblemente miente. La foto agita la duda.

Claudia se pregunta si ella sonrió en los días posteriores a aquello y la respuesta es afirmativa, sí sonrió al día siguiente. Aún vivía en la casa de sus padres y ese sábado se celebraba el décimo aniversario del grupo de oración en el que ellos participaban. Después de pasar el día encerrada en su cuarto contando el ciclo menstrual y averiguando qué hacer por si le hubieran contagiado algo, Claudia fue llamada para saludar a los invitados. Accedió ante la insistencia maternal, se maquilló, se echó un poco de crema en la vulva que no paraba de arder, se puso unos pantalones flojos y se perfumó. El olor a cuerpo sudado del profesor regresó con el perfume. Claudia tuvo ganas de vomitar. Sin embargo, bajó a la sala y saludó cortésmente a los invitados. Claudia se esfuerza por recordar cuántas veces sonrió ese día y concluye que lo hizo por lo menos cuatro veces. ¿Existe alguna foto de ese día? Vagamente ella recuerda un *flash*. Según la secretaria, la sonrisa en esa foto representa la prueba de la impostura.

El viaje veloz hacia al autoexamen se interrumpe cuando la secretaria se calla. Claudia empieza la preparación de la siguiente clase en torno a la dictadura de Manuel Estrada Cabrera. Se fija en una foto de las fiestas Minervalias que organizaba el dictador para clausurar el ciclo escolar. En ella destaca una mujer vestida de la diosa Minerva, con una túnica larga, que enlaza su mano con la de Estrada Cabrera, bajo el palio de un templo romano construido en la zona norte de la ciudad. Enfrente de ellos marchan estudiantes con paso militar, pero también indígenas de Mixco que, según la crónica de la época, lucían sus trajes tradicionales. Al hacer *zoom* en la foto, Claudia observa que las mujeres llevan huipiles largos, no como el que ella vestía en las fiestas de Guadalupe. Investiga rápidamente en internet y averigua que esos huipiles o sobrehuipiles, llamados así también, se destinan a la ceremonia, se forman con tres lienzos tejidos en telar de cintura, unidos a mano con pespunte. El borde superior de la pieza está bordado de morado. Imposible determinar si alguna de esas indígenas obligadas a rendir honor a la diosa Minerva, sonríe o muestra cólera o cansancio. Las fotos son colectivas, son multitud, nunca un enfoque personal.

Al apuntar los datos del huipil, Claudia observa sus uñas. La cutícula ha crecido. Dos pellejitos cuelgan en el dedo índice. Necesita ir a la manicura. Probará un color nuevo, tal vez un lila. Pero antes quiere ver a Rosa para averiguar más sobre el traje indígena de su infancia, le propone reunirse al salir de la universidad. Claudia sigue preparando la clase el resto de la tarde hasta que apaga la computadora y sale rumbo al parqueo. Un viento húmedo despeina sus colochos y, por eso, no puede distinguir un grupo de hombres en las gradas que debe bajar hacia el estacionamiento. Avanza unos pasos y, entonces, puede ver claramente. Allí está el decano, el profesor y dos desconocidos. La cabeza de Claudia empieza a palpitar. Ella mantiene la mirada hacia el frente y no se detiene. Quiere creer que no ha sido vista, aunque su voluntad resulta poco plausible. La distancia fue corta.

Claudia baja las escaleras fingiendo aplomo. Llega hasta el carro. La cabeza le sigue palpitando. Las pulseras se le traban con las llaves. Claudia las jala con fuerza y se raspa la muñeca. No hay tiempo para un *kleenex* que limpie la sangre. Se acomoda en el asiento y arranca. Ve sus manos en el volante. No recuerda si tiene desinfectante en la casa. Una curita probablemente quede en el botiquín. Claudia cancela la cita con Rosa, quien le recrimina por el aviso a última hora.

Mañana irá a la manicurista para que le arreglen las uñas, se reitera Claudia a sí misma, mientras el retrovisor refleja la cara de una desconocida.

DESPEGUE

Nunca ha podido dormir antes de un viaje largo. Menos ahora. Antes de cerrar la puerta de la casa, revisa si lleva pasaporte, pasaje de abordar y las pastillas contra el mareo. Examina rápidamente las gradas de la casa y parece que la voz de Martin rueda en ellas. Traga saliva. El taxi la espera.

El trayecto al aeropuerto resulta más largo de lo acostumbrado debido a las obras en la autopista. Tras la ventanilla, Regina observa los hombres que trabajan en el asfalto y se pregunta a sí misma cómo se empieza la crónica del regreso. Desearía encontrar el tiempo y modo precisos, he decidido volver, debo volver, quiero volver o no me ha quedado otra opción que volver. Todos los verbos se mezclan, como las imágenes de los últimos días y las lejanas. Traslapes intensos.

Regina compara los preludios de las partidas. Esta vez vivió una parsimonia extraña. No hubo inconvenientes de última hora, detalles qué resolver en forma precipitada. Regina había desocupado la casa poco a poco. Dejó morir el jardín con la complicidad del invierno. Su oficina en la universidad hacía tiempo se asemejaba a una celda de asceta sin marcas personales. Los libros de la biblioteca los había devuelto uno a uno.

Después habían venido las semanas de despedidas, todas planificadas con cuidado. La víspera de este día que apenas amanece había terminado con una cena en un restaurante italiano, cuyo bullicio agradeció Regina para poder iniciar hacia adentro el camino de la extracción.

Los días previos al 15 de noviembre de 1985, cuando Regina tomó firmemente a Gérard de la mano y subió al avión de KLM, habían sido extenuantes. Si hubiera escrito los asuntos a resolver en esos días, como después acostumbró a hacerlo, ella habría apuntado una larga lista, entregar notas en el colegio, alquilar la casa, acomodar a la madre ya enferma, recoger documentos en los juzgados, pagar deudas, dejar otras pendientes, atender los catarros de Gérard, traducir documentos, colocar la lápida del padre.

Regina contaba a unas amigas que, al salir del avión en Ámsterdam en aquel 1985, se había parado un momento en la pista para llenar de aire los pulmones. El aire invernal le supo a desahogo. A descarga. A inicio con ganas. Rara vez ella compartió la nostalgia de otros compatriotas, y más bien afrontó estoica los obstáculos del norte. Huyó de los grupos de solidaridad con Centroamérica o de los festivales musicales con aire del sur. Cuando tuvo que elegir un tema para hacer su doctorado, eligió la escritura de mujeres que se habían ido de Guatemala por voluntad propia.

La guardia de seguridad le señala que debe subir los brazos para hurgar con el detector de metales. Suena un pip que da paso libre. Regina recoge su maleta de mano de la cinta de seguridad. Va hacia el quiosco de periódicos, hojea unas revistas y ve un número de *Geo* dedicado a Dante. Se cruza entonces en la portada su propia silueta. Acababa de cumplir diecisiete, tenía seis meses de embarazo, estaba sentada enfrente de la profesora de literatura del colegio, quien le dijo como consuelo

Regina, tres cosas nos quedaron del paraíso, dijo Dante Alighieri, las estrellas de la noche, las flores del día y los ojos de los niños.

Le costó a Regina meses después establecer qué tenían en común las estrellas, las flores y los ojos de un recién nacido que se despertaba a cada momento con un llanto desolador. Ese hijo hace días no toma el teléfono para llamarla.

El corredor del aeropuerto hierve de gente con los ojos apenas abiertos. Regina consigue un asiento libre en la sala de espera. Saca su kindle, que le ha ayudado con la incipiente artritis en la mano, cada vez más endeble para detener un libro. Cargó un par de novelas para el viaje trasatlántico y un texto que conoce casi de memoria, las *Cartas de la India*, de María Cruz. Sería imposible descubrir algo nuevo en ese diario epistolar que Regina incluyó como parte de su corpus en la tesis doctoral, aunque le sigue asombrando la voluntad de recuperación espiritual de la autora. Su salida de Guatemala. El destierro en Chennai. La veneración a la excéntrica Blavatsky. La convivencia con personas de lenguas disímiles en la sede de la Sociedad Teosófica. La lucha contra la tristeza como consigna.

Regina deja el texto para luego, están a punto de despegar. Se concentra en las instrucciones para evacuar el avión en caso de emergencia. Tiene la certeza de que, llegado el momento, sería incapaz de abrocharse el chaleco salvavidas. El avión toma la altura. Se suspende el reloj en el no tiempo. Ella vuelve a los párrafos finales de aquellas cartas, *me peino y me visto al azar, me da igual, imagino con pavor el momento en que tendré que saldar mis cuentas, y sin pensarlo huiría a la selva.*

El cansancio acumulado en los últimos días la hace cabecear. Regina apaga el aparato, se pone unos tapones en los oídos y cierra los ojos. Sueña abruptamente. Escenas fragmentarias en una selva. Culebras que se suben por el cuerpo. Monos que se cagan desde las ramas. Ella enfrentada a sus muertos.

Los sueños del retornado en los aviones trasatlánticos son lugares rotos.

Una incipiente baba sale de la boca de Regina.

Nada se mueve en aquel avión.

ENCLAVE

Dicen que en el sur global las ciudades son bulliciosas. Dicen que en el sur global existen reductos. Islas de calma. Enclaves. El club alemán es uno de ellos. Cuando se cruza la talanquera, se olvidan las bocinas, los escapes maltrechos y las quejas de la miseria. Se entra a un área espaciosa y, al final de un camino de piedras, se llega a la piscina. Los niños se zambullen. Los meseros vestidos de blanco extienden sombrillas sobre las mesas. Un hombre lagartijo duerme en una silla. Un par de jubilados fuman puros. Un joven empresario espera a su mentor.

Voy a querer una limonada, pide Gérard para hacer tiempo a Fritz.

Gérard se coloca los audífonos. Consigue abstraerse hacia el mundo interior de sus negocios. Al empresario lo reconocen como un emprendedor.

Fritz aparece en el jardín al cabo de unos minutos y si una cámara enfocara su caminar lento a través del paso, su pelo rubio y ojos azules, y una panza que sale del cincho, podría tratarse del encuadre para un anuncio publicitario de alguna cerveza alemana.

Na, wie geht es Dir? saluda Fritz, desparramándose en la silla que le queda demasiado estrecha. Gesticula contra el asiento. Acaba de volver de las visitas mensuales a las fincas de la familia en Alta Verapaz, que ya están en manos de Pablo. También se ha desentendido de la empresa de repuestos agrícolas. En algún momento pensó que Gérard podría tomar las riendas del negocio, sin embargo, el joven guatemalteco prefirió la autonomía y explorar nuevos rumbos.

Was für ein schöner Tag, suspira Fritz con los ojos puestos en el agua de la piscina que refleja el lento movimiento de los árboles. El viejo alemán es un enamorado del paisaje guatemalteco, desde las orquídeas de los cerros de Alta Verapaz a las palmeras de la costa sur y los volcanes que se erigen imponentes como alegorías del poder de la tierra. Este nieto de un herrero de la ciudad portuaria de Bremen piensa que no hay mejor lugar para vivir que Guatemala y por ello suspira nuevamente, cuando baja el respaldo de la silla y siente el calor del sol sobre el rostro. Pregunta por Claudia, con la vaga ilusión de que la muchacha hubiera desaparecido de la vida de Gérard, pero este responde lacónicamente está ocupada. Y es que Fritz no acaba de entender la elección amorosa de Gérard. Intuye que Claudia complica el plan de vida de Gérard. Claudia, no lo sabe Fritz, piensa al revés, que el mentor alemán frena a Gérard en entender mejor el país.

Fritz pide una cerveza a Tomás, el viejo mesero que empezó a trabajar en el club a mediados de los años ochenta. Tomás se mueve con una cortesía extrema. La misma cortesía que Gérard había visto en una visita a Pretoria, cuando en la oficina donde debía negociar repuestos para tractores, lo dejaron en una sala tapizada con fotos en blanco y negro, escenas todas de clubs y restaurantes décadas antes, y en ellas aparecían meseros africanos inclinados hacia adelante, en un acto de reverencia, sonriendo, mientras los comensales blancos y extranjeros seguían sus conversaciones.

31

Gérard recuerda el viaje y un dato puntual, Pretoria era, en los años sesenta, la ciudad con más piscinas por casa en el mundo.

Un niño se tira del trampolín y explota el agua y también la gana de Fritz porque se concrete el favor pedido, la publicación de un reportaje ilustrado que honre la memoria de sus parientes, los pioneros que transformaron Alta Verapaz en un emporio de café. Andrés ha sido renuente a escribirlo y ha adelantado a Gérard la dificultad de obviar la versión de los mozos colonos. Sin embargo, en ese medio día soleado, con un plato de jamones ahumados en la mesa, metiendo el buen humor de las anécdotas, Gérard promete celeridad en el cumplimiento y Fritz, satisfecho por la respuesta, decide que se quedará una hora más para tomar el café que sirven en el club, el café arábica que se sigue cultivando en la finca.

Schade, dass du losgehen musst.

Vos ya podés huevonear Fritz, yo debo ganar para los frijoles.

Fritz se ríe a carcajadas, se pone los anteojos oscuros y divisa la silueta de su discípulo que se pierde en los arbustos por los que se pasa al parqueo. Gérard abre el carro, envía en el camino un recordatorio a Andrés, quien está escribiendo el último párrafo del texto que tituló "Niñas que no juegan, niñas que paren". El periodista se siente drenado. Así le pasa cuando termina una investigación, parece un zombie salido de *The Walking Dead*, al que le cuesta habituarse de nuevo a la realidad. Es en la escritura de los reportajes más duros cuando sus relaciones sentimentales se fracturan.

Gérard siente el cuerpo liviano, el viejo Fritz y la alegría del enclave lo han hecho olvidar la inminente llegada de Regina.

CONTRA LA PARED

Claudia se pega a la pared como una sanguijuela en la piel. Quiere absorber los sonidos. Chuparse el miedo de esa voz. Sabemos que es fácil identificar una voz conocida que nos ha marcado y también que uno guarda, con mayor dificultad, los archivos de las voces de los muertos más que sus imágenes y, por ello, son aquellas tan preciadas. En situaciones extremas de horror como la tortura, Claudia había leído que el sujeto torturado es reducido a gemidos por la voz odiosa del verdugo. Cuánto más habla éste más despoja al torturado de su mundo, y cuánto más el segundo articula palabras, más es la anulación. Recordaría que, en sus notas del curso sobre violencia, había escrito la afirmación del Elaine Scarry: *El dolor intenso destruye el lenguaje.*

Claudia se descompuso. Reconoció la voz. Nunca habría imaginado una segunda parte y esa voz nuevamente. Pregunta el profesor a la secretaria si se encuentra el decano. Las paredes son delgadas. La secretaria contesta que no se encuentra, pero sí le urge algo, puedo avisarle a su mano derecha. Claudia no entiende lo de la mano derecha y ve sus manos que sudan. El profesor pregunta quién es la mano derecha. Ella se toca el cuello para forzar que las palpitaciones se detengan. Teme ser oída. La secretaria pronuncia Claudia Bran. El profesor responde que no es urgente, pero no estaría mal saludarla, ¿sabe? fue mi alumna hace mucho tiempo, responde a la secretaria. Claudia se dice en el fondo de la médula qué hijo de la gran puta. Se arrincona en su oficina mientras oye los tacones de la secretaria que punzan el suelo. Rápidamente reacciona y se despega de la pared, de puntillas va a su silla. Al entrar la secretaria, le indica con los dedos en la boca que guarde silencio. Escribe en un papel no estoy, usted se equivocó. La secretaria se da la vuelta de mala manera. Los tacones emprenden el retorno.

Fíjese que la doctora no se encuentra, yo creí que estaba pero no. Si quiere le doy su mensaje.

El profesor responde que no es necesario, pasará otro día a saludarla.

La voz se calla. El profesor sale. Claudia se toca el rostro caliente con las manos temblorosas y busca instintivamente la pared para restregar la piel contra el frío del cemento.

AEROPUERTO

Gérard retiene la respiración cuando escucha el chillido de los frenos del aterrizaje. No tiene certeza si es el avión donde viene su madre, pues el aeropuerto carece de monitor. La muchedumbre se mueve impaciente frente a la puerta de salida. Estiran el cuello para atalayar al recién llegado. Gérard se hace para atrás. Se topa con una columna. Allí asienta su nerviosismo. Manda un mensaje a Claudia. Ella contesta de inmediato, calma.

Regina sale vestida con una gabardina. Se pone anteojos oscuros aunque está nublado. Es el gesto instintivo para filtrar la impresión de la llegada. Avizora al hijo. Levanta la mano y grita el nombre extranjero. Gérard se acerca a encontrarla.

Bienvenida, mamá.

Finalmente, Gérard, este viaje es eterno.

Regina abraza a Gérard y él le devuelve el abrazo. Pareciera una película de cine mudo, si no fuera por los movimientos lentos y la timidez de los gestos. Madre e hijo se reparten el equipaje y van hacia el estacionamiento lleno de *pick-ups,* en donde se apilan las maletas de migrantes que vuelven por unos días.

Gérard acomoda la maleta grande en el baúl de la camioneta Toyota y empuja la pequeña en el sillón trasero. Al abrir la puerta del carro, su madre reconoce las manos blancas llenas de lunares y, con ellas, la cólera de la pubertad. Gérard arranca el carro mientras Regina se queja de un zumbido en el oído.

Va a tardar unas horas en que se te alivie, a mí me pasa lo mismo.

Gérard entrega la boleta del parqueo al guardia de la garita de salida, quien no acierta el nombre del canche que maneja.

Nunca voy a entender por qué me pusieron ese nombre.

Te lo puso tu papá. Y yo de bruta dije que sí.

Fue el nombre elegido por Javier Martínez, el efímero marido de Regina, en memoria del abuelo paterno catalán, que había llegado a Guatemala en los años veinte y fundado una empresa de hilados.

El apartamento de Gérard está cerca de la avenida Reforma y, en condiciones normales, tardarían quince minutos desde el aeropuerto, pero las calles están rebalsadas de carros. Ambos se distraen comentando detalles sobre los viajes, que si el aire acondicionado es excesivo, que si vamos a poder viajar en el futuro tanto por el medio ambiente. A medida que dan vuelta por el

Obelisco, Regina se da cuenta de que está llegando a otra ciudad. El acueducto que rodea el aeropuerto sigue intacto, pero los lugares aledaños han sido quebrados en dos mitades. Debajo del asfalto se extienden túneles oscuros con nombres de dictadores. Apenas quedan señales de las aceras. Los muros de hormigón bloquean cualquier perspectiva. Son los pasos a desnivel. Nada fluye bajo el pito de policías vestidos de un verde encendido.

Qué color más feo.

Mamá, el color es para que se vean, por seguridad.

Pero podría ser un verde menos perico.

A Gérard le da igual el color de los uniformes. Intuye que el próximo comentario será sobre los nombres de los pasos a desnivel. La llamada de Claudia interrumpe la previsión. Gérard se siente confortado por la voz de su novia y, al colgar, hace otras llamadas para ganar tiempo hasta que entran en el apartamento. Regina recorre con la mirada las maderas oscuras de los pisos y los muebles minimalistas con tapicería clara. Podría tratarse de un apartamento en Copenhague, Estambul o México. Piensa en las dimensiones anodinas del regreso a medida que el hijo avanza con las maletas hacia el cuarto que ella ocupará.

Te cambié sábanas y este es el código del internet. En el baño, vas a ver unas tollas azules, son las tuyas. Empiezo a preparar algo y comemos.

Regina decide ducharse antes de cenar. Abre una de las maletas, saca un pijama, la bolsa de cosméticos y un calzón. Empieza desvestirse camino al baño, pero detiene el botón del pantalón con la conciencia de que ya no está en su casa. La sensación se acrecienta cuando examina el orden minucioso de los anaqueles del baño. Las lociones están dispuestas como si se tratara de una farmacia. El olor a desinfectante repta desde el suelo. Regina no resiste la comparación con los manuales de higiene pública del siglo XIX y pensando en la obsesión por la limpieza, toma la toalla gris, demasiado carrasposa para su gusto, y se va secando poco a poco el agua tibia que cae de brazos y piernas.

Gérard está terminando de aderezar la ensalada, cuando Regina ya refrescada, se acerca al hijo.

¿Y entonces cómo estás?

Bien, con mucho trabajo. ¿Y pudiste dejar todo arreglado en Alemania?

A Martin lo enterré, si a eso te referís.

Gérard abre el refrigerador en busca de una cerveza evitando tomar parte en la confrontación de argumentos que concluirá con dos personas acongojadas. De qué serviría decirle a su madre que odia los funerales y que hace mucho cerró su vida en Alemania. Cambia de tema.

Acabo de empezar la serie *Black Mirror*, te la recomiendo, distópica hasta más no poder.

Suficiente tengo con mi mundo, Gérard, para aterrorizarme por otros, ¿no te parece?

Gérard se muerde la lengua y le pide a Regina que le alcance la sal.

Y entonces ¿cómo va la relación con tu novia?

Claudia, mamá, así se llama.

Regina quiere averiguar sobre la mujer que, según Gérard, le ha cambiado la vida, pero solo consigue unas cejas arqueadas que defienden el territorio contra la madre intrusa, como cuando ella entraba al cuarto tapizado de *posters* para preguntar por la escuela. No le queda más que elogiar la dulzura del tomate.

Los tomates de aquí son otra cosa, mamá.

A Regina se le van cerrando los ojos con el último bocado de ensalada y decide que se va a la cama no sin antes buscar la mejilla del hijo en un intento anacrónico del beso de las buenas noches.

Gérard espera a que su madre cierre la puerta del cuarto para entrar en el baño. Tiene las tripas revueltas. Al sentarse en el inodoro, ve su toalla gris mojada sobre el lavamanos. La de Regina permanece seca, colgada en el mueble.

VOZ GRABADA/TEJER

Se acostumbró a la locuacidad de Rosa Xicará. Su carácter frontal y cierta distancia con el español, lengua aprendida tardíamente, contrastaban con el exceso de explicaciones en las conversaciones de la facultad. De qué servía hablar tanto, argüía Rosa, si el razonamiento de las cosas requiere palabras precisas, como en el mensaje grabado para Claudia, cancelá con tiempo la próxima vez que no vayás a llegar, no tengo un catálogo de vestidos indígenas para saber cuál es el tuyo y no entiendo para qué cortar cabezas en las fotos.

Claudia repitió el mensaje, no por la información escueta, sino por la voz grabada que la resguardaba contra el territorio incierto que se había vuelto la universidad. La voz de la compañera de trabajo se pareció al idioma nativo que irrumpe de pronto en una ciudad extranjera y no hace falta ni siquiera voltear a ver al hablante, porque la cadencia de la frase asegura una pertenencia. Claudia, con la voz de Rosa, recorrió el campus, bajó escaleras, se revolcó en el pasto, oteó por ventanas altas y sintió que el intruso estaba lejos. La voz de Rosa le devolvió algún control del espacio y de las propias ideas. Porque Claudia, desde hace meses, medita cómo sublevarse a la lengua domesticada de la facultad, qué términos han perdido sentido en un país que se revuelve en una espiral de injusticia. Cómo imaginar salidas o resistencias. Cómo no caer en declaraciones vacuas, en los mismos monólogos exhaustos.

Podríamos tejer y así hilvanar nuevas formas de pensamiento, se pregunta Claudia. Por qué no dejar convivir la tela y la letra, se dice la profesora de políticas mientras limpia la humedad del vidrio empañado de su cuarto. Por qué no capotear las palabras con la fuerza de la aguja. Crear textos y tejidos, tramar, entrelazar, unir. Los ecos de los verbos hacen más ligera esa noche.

VOZ RONCA I

Está sentada frente a la mesa. Se abraza como si tuviera una camisa de fuerza. Cruza las piernas. Parece un nudo humano. Una taza de café humeante espera despertarla.

Ella se fija en los pocillos retro que su hijo ha dispuesto en la repisa de la cocina, de peltre y con una línea azul en el borde, similares a los que usan los hípsteres de su barrio y al que ella tenía en la mano cuando deseó por primera vez al papá de Gérard. Un deseo que fue torpe y destruyó por impaciente.

Regina saborea la amargura del café. Se fija en el iPhone que Gérard le ha prestado. Él mismo ha inaugurado el buzón de mensajes.

Vas a necesitar carro. Ni pensés en transporte público. Un amigo de Claudia vende uno. Parece que es una buena oferta, mamá. 58559876.

Regina graba el número mientras se percata de que las visitas al cementerio han cesado. Ella, que siempre había dicho a los otros en la tumba solamente yace el vacío, había caminado hacia el camposanto diariamente desde el día del funeral de Martin. Hablaba sola entre las matas. Se detenía en las fechas de las lápidas, imaginando cronologías que contenían la pena.

Regina marca el número de teléfono rápidamente.

La contestadora se activa dos veces. En el tercer intento, responde una voz ronca que hace pensar en un hombre fumador. Regina se acuerda del *Mico* Sandoval. De su traqueotomía. De las bufandas para cubrir el hoyo perforado en la garganta. De las fotos donde él enseñaba a torturar. La voz ronca dice aló con cierta desconfianza y pregunta quién llama.

Soy Regina, la mamá de Gérard, llamo por el carro que vende.

Mucho gusto, señora, perdone, debo atender una llamada. Deme un minuto.

Regina aguarda en la línea. Traga saliva. Se aclara la garganta. El minuto se convierte en diez minutos hasta que la voz vuelve.

Perdóneme, pero ando en varias cosas.

Ella se percata de que el interlocutor olvidó el motivo de la llamada, así que le recuerda el asunto del carro, como si escenificara una pieza de teatro del absurdo.

Ah sí, el carro, por qué no se viene a mi oficina, yo no voy a salir hoy. La dirección es cuarta avenida diez guion veinte zona diez.

Regina apunta la dirección en el reverso de un recibo y apenas puede despedirse. La voz ronca cuelga demasiado pronto. Ella se da cuenta de que Gérard no le dijo cómo se llamaba el amigo de Claudia y el amigo de Claudia tampoco mencionó su nombre.

VOZ RONCA II

La segunda vez en las arterias de la ciudad empieza con el fuego. Un niño se moja la boca con gasolina enfrente de los carros detenidos por el rojo del semáforo. El niño, que tendrá ocho años, acerca un encendedor al rostro y escupe una llamarada de fuego. Tose un par de veces y se apresura a pasar entre los carros para pedir limosna. Son apenas unos segundos. Regina traga saliva. El taxi, que ella ha tomado minutos antes, sale del semáforo y toma la avenida Reforma rumbo al norte. Regina observa los transeúntes tras la ventanilla. Le parecen empobrecidos. Una mujer extiende la mano con un ramo de rosas en la siguiente esquina. Se hace paso entre los carros. Lleva amarrado en la espalda un bulto que llora. Las rosas son rojas. Brillan con el sol.

El taxista debe parar enfrente del monumento a Lorenzo Montúfar ante la orden de un policía vestido de verde. Regina voltea la cabeza a la izquierda. La casona de esquina ocupada por la Embajada de Bélgica ya no existe. Tampoco el cerco blanco por donde un sindicalista se tiró para huir de sus secuestradores en 1984. Ha sido sustituida por placas de vidrios en donde se exhiben perfumes y cosméticos y se anuncia un descuento del J'adore, de Dior.

El taxista maldice la falta de equidad del policía porque arguye está dando preferencia a los carriles auxiliares. Descarga la impaciencia con un arranque violento que deja a Regina zangoloteándose de un lado a otro, sin poder ubicar algún cinturón de seguridad en el sillón trasero. La clienta se agarra con fuerza a la manija encima de la portezuela, se concentra en la ventanilla lateral por donde asoma la embajada estadounidense rodeada de muros de hormigón. La misma apariencia de búnker, se dice Regina, mientras observa a las personas que se agolpan a un costado del edificio y cree en un primer momento que se trata de una manifestación, pero el taxista le aclara que son las peticiones de visa. Él ya probó un par de veces sin éxito. La última vez, después de que a un amigo también taxista, alguien le disparara en la columna por haberle negado el paso en una carretera.

Imagínese, solo porque le había bocinado. Lo dejó parapléjico.

Regina siente que el trayecto ha sido eterno. Baja del taxi y se adentra en un camino de cemento hacia la puerta de una casa que fue habitación de alguna familia pudiente en los años sesenta y hoy es la sede de "Ejidos, Agencia de Prensa de Investigación". Apenas toca el timbre, un joven de anteojos rectangulares abre la puerta, le pregunta a quién busca y ella contesta que busca a alguien, pero no sabe el nombre.

Cómo así, le responde el patojo.

Pues busco a alguien que vende su carro y que tiene voz ronca, explica Regina.

Entonces debe ser Andrés, siga el corredor, suba las gradas, luego a mano derecha la segunda puerta, concluye el joven de la entrada.

Ella sigue las instrucciones, la segunda puerta está abierta, se asoma con cautela y divisa a un hombre joven que escribe en la computadora con la peor postura para la espalda, los hombros tensos y levantados. El escribiente se toca el pelo copioso, como queriendo arrancarse alguna idea del cuero cabelludo, sin percatarse de que Regina está en la puerta, así que ella se aclara la voz y se presenta.

Soy Regina Salguero, la mamá de Gérard, el novio de Claudia, la que quiere comprar su carro.

El periodista alza la mirada, se pone de pie y extiende el brazo para presentarse.

Perdone, estaba en otro mundo, soy Andrés.

Todos lo estamos en algún momento, contesta Regina tratando de encontrar un lugar donde sentarse.

Andrés reacciona y despeja una silla repleta de papeles. Algunos se caen al suelo. Andrés se agacha a recolectarlos, mientras Regina se fija en una foto colgada en el tablero, detrás del escritorio del periodista, en la que un hombre y una mujer pegan con maderos a un gigantesco árbol amarillo de metal, erguido entre el monte verde. El periodista le explica que son los árboles de la vida en Managua.

Los puso Rosario Murillo, la esposa de Daniel Ortega, es una foto de la revuelta del año pasado.

Regina tiene la sensación de que ha visto un árbol similar en otro sitio, pero no puede determinar dónde.

Así que le interesa mi carro, interrumpe Andrés las cavilaciones de Regina. Lo vendo porque necesito viajar al interior y es muy bajo para los caminos de terracería. El carro está aquí cerca en un estacionamiento. Podemos verlo, si quiere.

Regina asiente, sigue al periodista que camina a pasos rápidos y que le advierte que se quite los anillos.

En esta calle también asaltan.

Ella se saca con prisa los anillos sin poder asimilar el adverbio también. Le cuesta alcanzar el paso veloz del periodista, cuyo cuerpo alto y fornido certifica una coherencia con la voz honda y cavernosa. Andrés llega al estacionamiento y señala un carro negro, como el luto que Regina se empeñó en llevar contra el consenso de todos. Andrés asume la minucia del vendedor honesto, abre la puerta del conductor, abre el baúl, abre el capó, insiste en que ella toque los asientos y el tapiz del baúl, y que se acerque y escuche la regularidad del motor. Regina confiesa sin escrúpulos que no sabe nada de automóviles, pero omite contar que no maneja desde la muerte de Martin por una pesadilla recurrente, llega a un cruce y atropella a un niño en bicicleta.

Si quiere, le digo a Gérardo que lo vea un mecánico, ofrece el joven periodista que no entiende cuál es la genética que une a madre e hijo. Si Gérard es flaco, rubio y pecoso, la madre es morena, de pelo castaño y de curvas pronunciadas. Mientras Gérard habla rápido y nunca profundiza en nada, la madre, Regina Salguero, pronuncia cada palabra con una dicción cuidadosa, como profesora de radiodifusión, más bien como profesora de idioma extranjero. Menos reconoce Andrés el vínculo de ella con Gérard, cuando comentando la crónica que él está escribiendo, ella inquiere por Enrique Gómez Carrillo.

¿Lo ha leído?

Sí, un poco.

¿El Japón heroico y galante, tal vez?

No, la verdad prefiero la literatura actual.

Andrés se ve a sí mismo dormido sobre crónicas de lugares exóticos, pero no tiene tiempo para expresarlo, pues vendedor y compradora concretan la operación. Regina rechaza la intervención de Gérard, que implicaría un examen meticuloso y la lista de pros y contras que habría que meditar como si fuera el último acto de la vida. Pactan la entrega del carro en domingo, cuando Andrés tiene más flexibilidad de horarios. Mientras caminan de regreso al edificio, entre la recién llegada al país y el periodista se aloja un silencio incómodo que obliga a la mujer mayor a articular una pregunta.

¿Y en qué se especializa Claudia?

En el diablo, responde Andrés.

EL DIABLO EN NEW ORLEANS

Los padres de Claudia siguieron la recomendación del pastor. Mejorar el inglés y vivir con una familia cristiana. Terminadas las clases del bachillerato, Claudia, junto a otros veinte jóvenes, llegaron al aeropuerto de Atlanta y allí fueron repartidos en el sur, unos a Utah, otros a Alabama, otros a Missouri y los menos a New Orleans. Claudia fue parte de estos últimos.

La familia Pradell fue la *host family* de Claudia, a quien habían seleccionado de un catálogo de fotos que las iglesias habían intercambiado. Esa muchacha guatemalteca les había parecido demasiado hispana pero moderna. La señora Pradell y sus dos hijas pensaron que la diversidad cultural era favorable para crecer en la tolerancia y que Claudia, con un aire alerta ante la moda, podía formar parte de las expediciones periódicas a las tiendas del *mall*.

Los Pradell vivían cerca de la avenida St. Charles, en una casa victoriana, cuya madera tronaba por las noches y donde se respiraba la nostalgia por un esplendor perdido. Una galería de fotos amarillentas y otras retocadas presidían el vestíbulo, por el que Claudia pasó diariamente con la sensación paranoica de que los ojos de los familiares insignes la espiaban. Quizás porque de Guatemala arrastraba el peso de las casas cerradas, ella se propuso desde las primeras semanas rutinas que la mantuvieran fuera la mayor parte de los días. Las mañanas asistía a los cursos de inglés en el centro de idiomas de la Universidad de Tulane y, por las tardes, pretendiendo asistir a un curso de guitarra inexistente, se escapaba al French Quarter. Allí pasaba el tiempo oyendo bandas de *jazz*, encontrándose con jóvenes que, como ella, descubrían las potencias del cuerpo.

Si algo impresionó a Claudia en el vecindario fue la blancura. Antes de viajar, le habían contado de una población afroamericana predominante, pero difícilmente podía localizar un hombre o mujer de piel oscura en los alrededores de la casa. De pronto compartía asiento en el tranvía con alguna sirvienta o con un cocinero de algún restaurante de la avenida St. Charles. Pero no más. Una vez lo comentó a la señora Pradell, quien contestó con arrogancia, *but I heard that in your country it is the same, the Indians have not progressed and they do these kinds of jobs, right?* Claudia no argumentó nada.

En aquella estancia otoñal del sur, Claudia acudió a la charla de un estudiante de doctorado de la Universidad de Tulane titulada *The Autoritarian Regimes in Central America*. El doctorante contó a los estudiantes de inglés avanzado cómo los archivos de la biblioteca latinoamericana de esa universidad provenían, en parte, de los fondos económicos de la United Fruit Company, que había derrocado gobiernos y explotado los recursos naturales en Centroamérica. Copió en la pizarra la cita célebre de Walter Benjamin, "no existe documento de cultura que no sea a la vez un documento de barbarie".

Claudia se fue interesando por la plática. Había escuchado lejanamente de la frutera, en cuyo comisariato su abuelo paterno, afincado en Izabal, compraba mercancías, como juguetes, conservas y ropa americana, para revenderlos en la región oriental del país. Ella ignoraba el poder de la United Fruit Company en Centroamérica, menos había escuchado que Guatemala había sido un experimento para Edward Louis Bernays, ávido por probar la eficacia de la publicidad y el *lobby* para derrocar gobiernos.

La palabra comunismo, que ella había oído desde pequeña como motor del odio, empezaba allí.

La atención de Claudia se trastocó en sobresalto cuando el instructor avanzó hacia la historia reciente y le había preguntado, a ella, guatemalteca, cómo había vivido su infancia en una dictadura. Claudia se quedó callada, levantó los hombros y dijo no lo sé. El instructor se esforzó por ignorar lo que consideró cierto cinismo juvenil y pasó a explicar las imágenes de hombres con armas, mujeres indígenas en la selva, niños en llanto. Claudia pensó en las películas de guerra que veía en la televisión. Sin embargo, hubo una reproducción que reconoció como propia, en ella reinaba un dios fulminante. Era un panfleto distribuido por el Ejército a las poblaciones civiles en las zonas de guerra.

Claudia se fijó una y otra vez en los guerrilleros-diablo con cachos y rostros de lobos que eran perseguidos por patrulleros civiles con azadones, rifles y machetes. En el segundo plano, la gente observaba la persecución y el Cristo iluminaba la escena. Esa imagen, itinerante en la mente de la estudiante de inglés durante las semanas siguientes, le pareció tan esquemática como su mundo. Recordó la atmósfera que había rodeado la conversión de sus papás en esos años. El mundo se había dividido de pronto en dos polos opuestos, un mundo en el que la esencia de la vida consistía en elegir o traicionar a Dios, sin posibilidades de grises o de preguntas. El bien y el mal adquirieron formas absolutas y no en vano, cada domingo, el pastor llamaba apasionadamente a ser los guerreros de Dios en esta tierra.

Acaso no era solo la conversión de sus padres, elucubró Claudia, sino la de un país entero. En esa estancia en New Orleans, abandonó paulatinamente la idea de estudiar diseño de modas y, al regresar a Guatemala, se inscribió en la carrera de ciencia política. Quería entender mejor las imágenes que el doctorante le había enseñado. A medida que avanzaba en esta carrera, se desprendió de la fe como creencia para transformarla en un objeto de estudio. Varios años después, su tesis de maestría se titularía, "La religión y sus dimensiones políticas en el conflicto armado guatemalteco". Su tesis de doctorado profundizaría en la idea con el título "Integrismo religioso en Guatemala: bendiciones y violencia".

Además de un punto de inflexión en sus estudios, Claudia encontró una alegría inusitada, más bien endiablada, en New Orleans. Una tarde de celajes naranjas sobre el Mississippi, el *bartender* gringo de "The Rocks" con una r trabada en la garganta, le dijo tú gustarme mucho. Con ese *bartender*, de pelo trenzado y manos largas, que se llamaba Tom, Claudia perdió la virginidad. Una tarde de lluvia torrencial, cuando los besos no alcanzaban ya, Tom sacó un condón de la gaveta de un armario ante la mirada excitada de Claudia, quien sonrió mojada de placer, e inexperta pero decidida, se subió encima del barista, abrió las piernas y, viendo el techo ahumado de aquella habitación, sintió un desgarre violento pero placentero, como un pedazo de cielo filudo, le había dicho a una amiga.

Ante la pregunta de Andrés, por qué te metiste a políticas, Claudia había contestado en el primer año de universidad, porque me impresionó el diablo.

RECAPITULAR

Por mí está bien un viernes.

Claudia había estado de acuerdo en conocer a Regina. Gérard había ofrecido reservar en un restaurante para evadir la intimidad. Le intranquilizaba la imagen de una larga sobremesa, pero la madre insistió en cocinar.

Tengo sueño todavía, voy a dormir otro poco.

Claudia se da la vuelta en la cama. Aunque es domingo, Gérard quiere levantarse pronto. Escucha la respiración regular de su novia. Reconoce que se ha dormido y entonces alcanza su iPad y empieza a resolver asuntos del trabajo. Cada tanto contempla el rostro relajado de su novia. Recuerda cuando la vio entrar en el estudio de publicidad. Preguntó a la secretaria quién era esa mujer colocha que constantemente se ajustaba los anteojos. La secretaria le contestó que venía de parte de la universidad. Gérard se acercó al cubículo, en donde ella se encontraba y escuchó cómo Claudia impartía indicaciones precisas sobre colores y conceptos para una campaña sobre participación ciudadana. Él esperó a que los diseñadores gráficos salieran y ofreció encaminarla a la puerta.

Supongo que la semana está por terminar y a descansar.

Esa es la idea.

Gérard repasó mentalmente que le quedaban pocos pasos para llegar a la puerta, así que articuló una pregunta que sonaba a la literatura romántica que su madre leía.

¿Podría invitarla a un café mañana?

Ella se volteó, regresó unos pasos y se presentó como Claudia Bran. Gérard respondió que se llamaba Gérard.

¿Y ese nombre? inquirió Claudia como si hubiera escuchado el nombre científico de algún animal raro.

Responsabilidad de mis papás, contestó con humor Gérard, acostumbrado a ser interrogado por su nombre.

¿Y adónde me va a invitar a tomar café, Gérard?

Hay un café francés que acaban de abrir en Cayalá, podemos vernos allí.

Claudia hizo un gesto de no puede ser, moviendo la cabeza a los lados. Mejor nos vemos en El Cafetalito del centro de la séptima avenida, mañana a las diez. Es que la cárcel de Cayalá aburre.

Gérard se sonríe al rememorar su desconcierto. No tenía idea de dónde estaba ese café. Rara vez Gérard iba al centro y le costó situar a Claudia en esas calles llenas de humo de camioneta y vendedores callejeros. Las conversaciones en ese café se repitieron varias veces. Gérard caminaba un poco asustado por posibles asaltos y Claudia lo miraba con misericordia. Para ella había sido un suplicio al principio, cuando debió aguantar silbidos y palabras soeces. Un evento recordaba ella como fundamental. El vendedor de *hotdogs* le había dicho qué culo más bueno, mamita, y ella se había dado la vuelta, se había presentado como Claudia, le preguntó entonces dónde vivía, cómo es que hacía para proveerse del pan, a qué horas se levantaba, si el agua llegaba a su casa. El vendedor se quedó mudo y, en los siguientes días, ella pasó saludándolo.

Claudia se tapa el rostro con la cobija. Le molesta la luz. Gérard se levanta para cerrar la cortina completamente, y hace memoria de la penumbra cuando entró por primera vez a este edificio. Los dos subieron en el ascensor estrecho que temblaba en cada piso. El joven empresario pensó en los riesgos de lo prematuro. En el instante de lo irreversible. La hija de madre pentecostal, que se había ejercitado con crueldad en detectar bajos instintos, se acercó a Gérard, lo tomó de la mano, como dándole valor para salir y avanzar hacia el apartamento y, en ese corto trayecto, Gérard soltó la pesada herencia de agresividad y Claudia, eso no lo sabría él hasta mucho después, entró en una cámara blindada porque, después de tantos años, ya no escuchaba el jadeo de la bestia sino las pulsaciones del propio corazón.

Gérard se acerca a Claudia. Con una caricia en el pelo le dice que va a preparar el desayuno. Ella abre los ojos. Le cuesta reconocer la ternura del hombre que está a su lado. Le molesta su cercanía. Se odia por ello.

CONTAR DESPUÉS DE LARGOS SILENCIOS

Regina saca el cuello por la ventana y aúlla de sofoco. Un avión surca el cielo dejando dos líneas de espuma blanca. Una ducha fría puede ayudar, se dice a sí misma, cuando se seca el sudor de la nuca. Cierra la ventana, se desviste y va hacia el baño. Se mete bajo la ducha. Enciende el chorro en la temperatura más fría hasta que el cuerpo tiembla y entra en un estado de distensión. Al apagar el chorro, oye el timbre. Se envuelve en una tolla, va hacia el intercomunicador. El portero le comunica que allí está el señor Andrés Molina. Es domingo. Regina se había olvidado de la cita con Andrés. No tiene más remedio que decir, sí que pase adelante, y en cuestión de cinco minutos, se pone el calzón, se abrocha el brasier, se enfunda un vestido y, metiéndose las sandalias en los pies, abre la puerta al periodista.

Pase, Andrés, perdone el desorden.

Es domingo, señora.

Regina, por favor, nada de señora.

Regina entonces.

¿Quiere un café?

Sí, cómo no, a ver si así nos despertamos, indica Andrés, quien estuvo hasta bien entrada la madrugada trabajando en la edición del reportaje. Se sienta en el sofá y se ríe del desorden anunciado por Regina porque, exceptuando las copas en la mesa, esa sala se asemeja al vestíbulo de un hotel. La compara con su sala-dormitorio-oficina, llena de papeles, libros a medio abrir, alguna caja de pizza que ha olvidado botar y vasos sucios puestos en lugares estratégicos donde escribe.

Todavía no hallo el desorden.

Regina sonríe. Ha vivido con dos hombres puntillosos, prácticamente impersonales en el espacio. Está contaminada por ellos. El olor a café invade la cocina. Andrés se acerca a ella.

¿Y cómo está Gerardo? Hace tiempo que no lo veo.

Ocupado, sin tiempo para nada, se queja Regina, mientras Andrés calcula que la mujer frente a él es demasiado joven para los treinta y cuatro años que cumplirá Gérard. Duda la impertinencia de manifestar el desajuste, así que refugia la opinión en un halago.

48

Usted parece la hermana mayor de Gérard.

Qué va a ser, soy la mamá.

Regina podría haberse circunscrito a la respuesta breve, pero tiene ganas de conversar. Ha pasado mucho tiempo hablando con las paredes.

Me embaracé a los 17 años, así que puede hacer sus cálculos.

Adolescente.

Sí, sin haber aprendido lo de la intuición maternal.

¿Y existe?

Existe el instinto de sobrevivencia, la astucia en las situaciones desconocidas de los hijos, declara Regina, recordando las muecas y patadas del recién nacido, las calenturas que estimulaban el llanto agitado. Ella piensa que aburre al joven periodista en esa mañana de domingo, pero contrariamente a esa impresión, Andrés escucha con interés porque la historia contada es otra versión de la maternidad infantil que ha investigado, una maternidad forzada que desfigura cuerpos y castiga cualquier rebeldía por una vida mejor.

Son niñas de 13 y 14 años, explica Andrés esperando que el agua del café esté lista.

¿13 años? ¿Y eso pasa aquí?

Sí pasa, se calculan 82 mil niñas menores de 14 años que son mamás, y 800 mil entre 15 y 17 años.

En ese rango hubiera entrado yo, dice Regina con los ojos bien abiertos y escuchando las tripas de Andrés que demandan comida. Ella también tiene hambre.

Todavía no he comido, ¿no quiere que improvisemos un desayuno?

Improvisémoslo pues, asiente Andrés que va tras la maestra viuda, quien saca cuatro huevos de la refrigeradora. Le entrega a Andrés un cuchillo para que parta un chile pimiento y los tomates, y a medida que el sartén se calienta para los huevos rancheros, ambos enumerarán los gustos culinarios. Andrés nunca ha tenido interés en explorar la cocina, y resuelve el día a día en comedores del centro. Le gusta la comida guatemalteca, los recados, especifica. Regina ha pasado por numerosos recetarios, por diferentes épocas y tierras, y le cuesta elegir un plato porque la variedad socava la pasión, pero si de elegir de prisa se trata, diría el plátano en cualquier forma. Plátanos horneados, mole, tostones, mofongo. El periodista se ha distraído. Divaga en las economías domésticas de su madre, en sus números obsesivos. Recuerda la hoja de ofertas de los jueves de *Prensa Libre*, llena de marcas que solamente ella podía entender, como un jeroglífico inaccesible que la colocaba en un paréntesis de alegría. El cálculo y el reto del ahorro en esas horas del jueves irradiaban una luz cruda, sobre las sombras de una vida de operaria explotada, de madre soltera, de mujer cansada de la tierra seca de Zacapa.

Regina permanece en silencio mientras los huevos toman consistencia. Desea que Andrés fuera Gérard. Podría hablar largo y tendido con el hombre adulto que es su hijo, abandonando los códigos cifrados, las defensas armadas con cuidado. Minar los rencores carroñeros de una vez por todas. Pero el deseo termina de pronto cuando el aceite salta sobre sus manos y, al hacerse para atrás, ella roza la piel del periodista. Allí irrumpe la realidad. Los pezones de Regina saltan sobre el lino.

¿No le gustaría darme una breve entrevista para el reportaje? pregunta Andrés para escapar de la cercanía.

Regina titubea, pero finalmente accede a condición de la identidad anónima. Entre bocados de huevos y tragos de café, Andrés enciende la grabadora de su teléfono y en ella quedará constancia de un embarazo descubierto tardíamente, del último cumpleaños como no-madre, de las velas que sopló con rabia. Recordará Andrés del relato escuchado, la imagen de los novios que entrarían en la iglesia comiéndose las uñas bajo el gesto fruncido de padres y madres, y la llegada de un parto largo y doloroso en el que se le negó a la primeriza una epidural, porque el ginecólogo con el tapabocas y los guantes de goma dijo, ya que esta niña se metió a negocios mayores, que aprenda a ser responsable. Regina terminó su testimonio con un recuerdo lapidario, el día que regresó a la casa con el bebé sintió la soledad más decisiva y se prometió que nunca más se dejaría fecundar.

Andrés lee fragmentos que ha seleccionado de lo dicho por Regina, concluyendo que, después de todo, ha sido un domingo productivo por el reportaje terminado y el carro vendido. Está a punto de llamar a una exnovia para pasar con alguien la noche, pero resiste el impulso en el último momento. La imagen de Regina sobrevuela. El olor a periódico viejo de la infancia entra hondamente en la nariz.

PALABRA NO PRONUNCIADA, NOMBRE BORDADO

Claudia espera a que Gérard salga al trabajo para llamar a la universidad e inventar un malestar en el estómago, que no tiene, porque el malestar que sí tiene y no puede justificar, es más impreciso, se disgrega en una reacción lenta ante la vida, en repentinos saltos del corazón, en una agresividad de francotiradora. Solamente la curiosidad por el origen del traje con que la disfrazaron de indígena la orienta hacia movimientos predecibles, le permite reconocerse a sí misma como la Claudia que pide libros, que investiga en internet, detecta ideas, llama a números desconocidos para obtener respuestas. Esa Claudia, la de antes, ha leído sobre bordar en la angustia, sobre esconder nombres. Fue lo que hicieron las mujeres indígenas cuando la guerra las cercaba, se preparaban para dejar sus rastros y asegurar que sus huesos correspondieran a un nombre. Bordaron con angustia bajo el reflejo de alguna bengala, cogieron la aguja en la noche, cuando el silencio auguraba el asalto, hicieron nudos, cortaron el hilo entre los dientes, se pusieron de nuevo los huipiles y corrieron o simplemente esperaron. Los forenses, que llegarían décadas después, certificarían la eficacia de aquellos nombres bordados en los reversos de los huipiles, hablarían de nombrestejido.

Bordar o escribir el nombre propio. Puede ayudar en situaciones menos extremas, piensa Claudia. Como también, capturar con tinta o con hilo palabras que sobrevuelan como balas enemigas, someterlas cuando todavía es posible. Nominar experiencias que han sido por años silencios nebulosos en una zona oscura detrás de la lengua.

Bordar lleva tiempo.

La escritura corre más rápida, pero se reescribe más.

La memoria es todo eso.

Fue al día siguiente después de aquello. La angustia se expande. Claudia no sabe qué número marcar, tampoco a dónde dirigirse. Le da miedo la enfermedad. Se siente contagiada por la baba del profesor, por su semen. El silencio de la casa termina por expulsarla. Mientras sus padres duermen, ella se enfunda unos jeans y una blusa blanca. Jala un suéter beige, se calza unas sandalias y toma las llaves del carro para emprender un viaje indeseable. Sale del condominio, saluda al guardia de la entrada como si fuera un día normal, y se dirige rumbo al laboratorio del Hospital Herrera Llerandi. Allí le ha tocado venir desde niña, cuando tuvo anemia o cuando se sometió a los rayos X antes de ser operada del tobillo que se quebró jugando vóleibol en sexto de primaria. Ahora vuelve sola para pedir un examen de sida y, de paso, ver si la pregunta sobre la pastilla del día después es factible. Sin embargo, las enfermeras evitan cualquier consejo. Claudia se conforma con el piquetazo en el brazo y la advertencia de que recibirá el resultado en dos días. Ella sale de allí con más ansiedad, el tiempo cuenta. Se mete en el carro y se le viene el nombre del Ministerio Público.

Se adentra entonces en un territorio desconocido, el barrio de Gerona, donde se encuentran las oficinas del Ministerio Público. Mientras maneja, piensa que debería estar desayunando con el padre que regresó de la finca y luego preparando unas lecturas para los cursos. Le parece que su vida corre en la vía contraria a la gente. La mandan a una unidad de violencia sexual, sin embargo, ella insiste en que no se trata de una agresión sino de una emergencia. Nadie entiende en ese lugar lo que ha pasado, ella misma no sabe cómo definirlo, qué nombre darle. La observan como extraviada. Una agente fiscal le sugiere el Hospital Roosevelt. Claudia llama a su mamá para explicarle que debe terminar un trabajo y llegará tarde.

Todavía recuerda el trayecto al Hospital Roosevelt tratando de sintonizar alguna estación de radio que rompiera el silencio interno. Por la mente de Claudia transitan la estatua de Tecún Umán con la lanza hacia delante, las camionetas parqueadas en doble fila en el Trébol, anuncios de moteles, peatones que se atraviesan arriesgando la vida, carretillas de helados en el cruce previo al hospital y una larga alameda de pinos como invitación precoz al cementerio.

Al poner un pie en la sala de espera, Claudia respira un aire viciado de sudor, orina seca y sopa de pollo Maggi. Es la hora del almuerzo. Afortunadamente no ha probado bocado en lo que va del día porque siente la arcada seca. Le toman los datos y otra vez los ojos la censuran, ella no puede expresar nada.

Tenemos muchos apuñalados hoy, espere afuera, indica la recepcionista que señala la sala repleta.

Claudia sale del hospital. El infausto paisaje le da ganas de correr e irse. Unos jóvenes la ven con ojos de coger. Sin embargo, la espera en ese lugar, contra los indicios, es breve. Una practicante pronuncia su nombre. La joven estudiante de medicina le explica que pronto termina su turno, así que hará todo rápido. Le entrega un vaso con agua y una dosis de levonorgestrel y de antirretrovirales, el primero evitará el embarazo y deberá volver a tomarlo en 12 horas nuevamente, y los segundos actuarán para bloquear el sida. Serán en total 28 comprimidos en los siguientes días. Sea puntual en las tomas, concluye la mujer de bata blanca, que también entrega un folleto sobre acompañamientos de grupo a víctimas de violencia sexual. Claudia lo rechaza, sale del hospital y en el carro, por primera vez, llora.

Pronunciar nombres atascados, bordarlos en la conciencia.

VOLCÁN

Se acerca al espejo de uno de los armarios en el apartamento que todavía huele a pintura fresca. El agente inmobiliario la ha dejado sola para que examine nuevamente el inmueble antes de firmar el contrato, pero ella se concentra en dos curvaturas crecientes que marcan su cuerpo. Desde que llegó a Guatemala, Regina ha dejado de caminar porque siempre le advierten que es peligrosa la calle. Desde la muerte de Martin, abandonó el yoga. Debe volver a poner en movimiento el cuerpo. La coquetería estaba enmohecida y vuelve fresca.

Aprovecha la ausencia del agente para revisar los correos que han entrado desde Alemania. Siente que, como su cuerpo, los afectos del otro lado del Atlántico se están modificando. Las palabras de los amigos se tornan ilegibles. Hay quienes la imaginan con machete en mano en medio de alguna ciudad tomada por narcotraficantes que disparan a mansalva. Hay otros que la heroizan como una nueva Che Guevara que vuelve a las luchas sociales, son los más ingenuos, pues ella nunca luchó por nada en Guatemala. La última constelación, la más romántica, nace del largo invierno teutón y se nutre del humanista, dichosa tú, entre los montes verdes y en la primavera eterna. La suponen en un huerto cultivando los dulces frutos de la tierra. Hasta ahora Regina no ha salido de la ciudad y en pocos días vivirá en este pequeño apartamento de sesenta metros cuadrados, en donde nadie de los lejanos remitentes puede imaginar la luz que se hunde impúdica en las habitaciones. Será la primera vez que prescinda de cortinas. Ella desea un apartamento desnudo, como su propio cuerpo cuando en los días de invierno salía del sauna, dejaba caer la toalla y con temperaturas bajo cero, soñaba con un punto perdido en otra galaxia que se incendiaba.

Sin embargo, en la parte lateral del apartamento, donde está la sala, no hay necesidad de imaginar una galaxia incendiada. El volcán de Fuego está en erupción. Una columna de humo se eleva desde el cráter y chispazos incandescentes salen disparados hacia el cielo. Desde la noche anterior, la lava naranja y roja corre por las laderas y cobra fuerza la idea del inframundo.

El agente inmobiliario carraspea. Es su manera de anunciar que vuelve. No puede dejar de comentar los crecientes retumbos. Posiblemente, dice él, la ciudad amanezca llena de polvo y sería mejor postergar la mudanza. En realidad la mudanza equivale a dos maletas y a esperar a que vengan los libros en un contenedor. Mientras el joven revisa la papelería que debe dejar firmada la nueva inquilina, esta se escabulle e hila pensamientos inconexos hasta que puede ubicar con exactitud dónde vio la foto de la oficina del periodista. Es *El árbol de la vida* de Klimt. Lo había descubierto en una de las primeras lecturas en alemán "Klimts Atelier in Wien". Se trataba de una breve crónica sobre la vida en el estudio del pintor austríaco, regida por un trato duro a las modelos, mujeres pobres, que medio desnudas y titiritando de frío, esperaban la llamada del maestro para ser hechas bocetos. Detrás del esoterismo autoritario de Rosario Murillo, tal vez se asoma el maestro intratable, piensa Regina, quien no se resiste a mandar el mensaje a Andrés, orgullosa del descubrimiento. Espera alguna reacción, pero no habrá respuesta. Quien se comunica es Gérard, confirmando la cena con Claudia.

CUESTIONARIO 1

Tenés que recordarte, mamá.
    No me acuerdo, yo no sé qué obsesión la tuya con esto.
    No debe ser muy difícil, hacé memoria.
    ¿Qué año dijiste que tiene la foto?
    1984.
    Pues no sé, Claudia, tal vez lo compré en el centro.
    ¿Dónde en el centro?
    En el mercado, ponían ventas afuera para esos días.
    ¿Para el 12 de diciembre, decís?
    Sí, días antes había ventas por la sexta calle.
    ¿Te costó mucho?
    ¿Encontrarlo?
    No, mamá, si te costó dinero.
    No, chula, la ropa típica era barata y regateando, más todavía.
    ¿Por qué elegiste el bordado rojo sobre fondo blanco para el huipil?
    Claudia, por Dios, qué gana de joder, ni me acuerdo, qué tiempo tenía yo de elegir nada.
    ¿Y se podía vestir uno con traje de niño?
    No, cómo creés. Niña, niña. Niño, niño.
    Claudia imagina a su mamá con el huipil, la faja y el corte en una bolsa, caminando hacia la fotocopiadora que regentaba en la novena avenida, frente al bufete popular de la Universidad de San Carlos, a pocos pasos del Registro Nacional de la Propiedad. Después, fueron más sucursales. La madre contrataba jóvenes por

salarios irrisorios, de hambre, le había encarado uno de ellos, y así había conseguido multiplicar hojas por las oficinas públicas de los alrededores. Claudia recuerda el calor sofocante de aquel lugar, los reflejos de luz por todos lados, el olor a brazos transpirados y a tóner quemado. Y también la orden aquella de su madre, orinen menos, que pierden el tiempo.

Cuando se traspasó el derecho de llave del negocio, una fotocopiadora apareció en la casa. Que te sirva, para que no gastés en libros, había dicho Zoila. Pero Claudia apenas usó la fotocopiadora. Acaso tocarla era conectarse con aquel cuarto opresivo del centro. Cuando se hizo adulta, se volvió una coleccionadora de libros. Comprarlos ha significado para ella profesar la alegría. Poco le importa entonces la advertencia de Gérard, hay que tener paciencia con el mundo libresco de mi madre. Claudia se ajusta el gancho que sostiene sus colochos y entra en el apartamento.

CENA

Ataviada con una gabacha cuadriculada, manchada de distintos líquidos, Regina supervisa las ollas y los sartenes, prepara el orden de los platos, hace los cálculos mentales para que todo esté en el tiempo correcto. Ha preparado una sopa de azafrán, pollo glaseado con puré de papa y camote y, de postre, tortitas de yuca con miel, a las que posiblemente les agregará una hoja de menta y unas gotas de jalea de café. Regina ha estado más concentrada en el menú que en conocer a Claudia. La cocina y la biblioteca son los lugares donde destruye las ansiedades e inventa.

Las primeras impresiones desconciertan. Claudia ha imaginado una mujer autoritaria, por los reclamos de Gérard sobre una infancia arrebatada de Guatemala. Ha pensado también en una mujer confusa, porque el hijo se ha quejado de atajos y enredos en lo que ella habla. No obstante, Regina, que quizás sí disfruta de la autoridad y no pocas veces ha hablado o pensado sin llegar a una conclusión redonda, se muestra cercana, con ojos de atención y paciencia. Hubiera sido útil que Gérard contara que su madre ha sido lectora de español durante veinte años en la universidad y que eso la ha dotado de unos ojos que se lanzan como anzuelo para domar a alumnos en ejercicios y temas. Esa misma profesión la ha obligado a militar en la paciencia, y muy especialmente en los últimos años, cuando los estudiantes se revelaban cada vez más como niños. Con aquellos ojos despiertos, Regina le pide a Claudia que se acomode en la sala.

¿Me da su saco para colgarlo?

El saco de Claudia riega un aroma a maderas que estimula el olfato de Regina, acostumbrada a la neutralidad de la piel alemana.

Así que lo suyo es la política, y particularmente el tema de la religión, afirma Regina, que ha tomado la batuta de la conversación mientras Gérard prepara unos *gin and tonics*.

Así es, está usted bien informada, responde Claudia extrañada por la locuacidad de Gérard, quien en verdad no ha contado nada. Andrés ha sido el informante. Claudia explica que ahora no investiga, se dedica a la administración.

La entiendo, pero pensé que quizás le pueda interesar este libro.

Regina va hacia el trinchante del comedor y saca un pequeño libro de pasta amarilla, *Cartas de la India*, de María Cruz.

Puede ser interesante para usted, es el diario de una escritora guatemalteca que vive en la India de 1912 a 1914, y allí lucha por reconstruirse en la teosofía.

Gérard empieza a ofuscarse con la manía de su madre por glosar referencias literarias e históricas, mientras Claudia, al contrario, disfruta un lenguaje en donde impera la reflexión y, en su reverso, la imposibilidad de certezas. Lo contrasta con los lugares comunes, con el habla intransigente de Zoila. Claudia pregunta por la estancia de María Cruz en la India, pero antes de que Regina pueda responder, Gérard sirve los *gin and tonics* que ambas pidieron para empezar la velada.

Así que salud por la dicha de los dos, brinda Regina.

Claudia también desconcierta a la profesora de español. La madre ha visto algunas fotos, sabe de una familia pentecostal y de un padre finquero. Se había preparado para una conversación en torno a la familia, tema predominante en Guatemala, pero a medida que pasan a la mesa, el país se abre paso entre cuchillos y tenedores. Claudia menciona su frustración después de que las familias dueñas del país hubieran decidido apoyar al presidente.

Es inaudito que prefieran aliarse con la corrupción y el narcotráfico a construir un país menos desigual.

Bueno, no nos vamos a quedar paralizados, hay que seguir trabajando, replica Gérard.

Obviamente, pero la esperanza se está perdiendo, dice Claudia.

Regina empatiza con la asertividad de la politóloga, y sucumbe al poder de obediencia que impone sutilmente sobre su hijo. Ella observa a Gérard, que no tarda un segundo en responder a los deseos de la novia, como cuando Claudia se queja del calor y ordena abrí la puerta del balcón, y el hijo sin chitar palabra corre a la ventana y la abre. Con ella hubiera sido una discusión bizantina sobre el frío y el calor.

Cuando Regina se dispone a servir la sopa, suena el timbre. Gérard va a hacia el intercomunicador e indica con tono extrañado, pues que suba.

¿Quién es, Gérard? preguntan Regina y Claudia al unísono.

Es Andrés.

¿Andrés, Andrés? ¿Y qué hace el Andrés aquí? dice Claudia con alegría.

Minutos después, Claudia abraza efusivamente al amigo. Gérard está rojo de cólera, no sabe qué hace Andrés en la cena. Andrés se percata de que llegó en el momento equivocado.

Qué pena molestar, es que venía a dejarle a Regina una receta.

Él saca de su chumpa un papel envuelto en cuatro partes. Aclara que se trata de la receta de quesadilla de Zacapa. Claudia no reconoce al amigo, que vive de comida comprada y que, como ella, jamás ha tenido interés en receta alguna. Gérard empieza a pensar lo absurdo de la cena. Regina agradece la deferencia, promete que probará preparar la quesadilla en los próximos días e invita al periodista a que los acompañe.

Pues, ya que está aquí, Andrés, quédese a comer con nosotros, dice Regina ante la mirada fastidiada de Gérard y la complacencia de Claudia. Andrés acepta y mostrará talento para acomodarse a donde no fue llamado. También delatará su forma particular de entender lo vegetariano.

No gracias, yo paso con el pollo.

¿Es usted vegetariano?

Desde que empecé a ir a la morgue se me quitaron las ganas de carne.

Sos vegetariano por la carne humana entonces.

Sí, es que siento que me estoy comiendo la pierna de un cadáver.

Gérard lo ve perplejo.

¿Podemos cambiar de tema por favor?

Regina toma de nuevo el control de la plática. Les pide a Andrés y Claudia que compartan historias de la universidad, como los ejercicios que asignaba en la primera clase a los estudiantes de español para comprobar las habilidades narrativas. Los dos relatan un experimento.

Había un profesor nefasto, cuenta Claudia, no leía los trabajos.

Era de los canónicos, aclara Andrés. Entonces con Claudia pusimos hojas en blanco en medio del trabajo y luego nos dijo que por qué escribíamos tanto.

Regina se ríe. Gérard se relaja. Observa a Claudia sonriente como hace mucho no pasaba.

Tengo que conocer la universidad, habida cuenta de tantos recuerdos, dice Regina con una voz pastosa a demasiado vino.

Claro, pásese cuando pueda, invita Claudia.

La plática se prolonga y se dispersa en rumbos variados, a tal punto que Claudia termina por averiguar que a Gérard lo vistieron de indígena con cuatro años. Le pintaron bigote y le envolvieron el pelo en un pañuelo rojo de puntos blancos.

Lo hacíamos todos, confiesa la madre arqueando la ceja por un pasado lejano.

Andrés desea constatar la juventud de Regina. Se le ocurren los caminos torcidos del periodismo.

¿Y no tiene por allí una foto de Gérard de niño?

Sí, cómo no, tengo una que me sirve de separador en los libros.

Mamá, no es necesario.

Regina obvia la opinión de Gérard, va hacia su habitación, toma el libro que lee, y saca una foto, en donde ella aparece con veinte años empujando el columpio del que se agarra Gérard con los puños apretados. La foto va de mano en mano. Gérard apenas la observa. Claudia se divierte con cada detalle, como el columpio de un rojo encendido o el pantalón de tirantes de Gérard. Andrés se fija en la madre de pelo largo y ondulado, que no ve a Gérard ni a la cámara, sino un punto cualquiera en el suelo. No hay calidez, tampoco unidad en esa foto, pareciera un fotomontaje para abolir la distancia entre madre e hijo. La languidez de la imagen contrasta con la mujer energética que ha servido el postre y pide más vino a Gérard.

La sobremesa se alarga. Regina olfatea la grandeza del instante, pide que se tomen una foto. Se hacen un selfi, mientras se escuchan con más violencia los retumbos del volcán, porque al norte de aquel apartamento en donde Regina, Gérard, Claudia y Andrés todavía conversan, las bocanadas de lava se extienden imparables.

ERUPCIÓN

El domingo 3 de junio de 2018, a las 6 de la mañana, cuando Gérard abraza a Claudia entre la cobija, Andrés se altera por una pesadilla (últimamente tiene muchas) y Regina consigue finalmente dormir, se oyen en las faldas del volcán de Fuego y pueblos aledaños explosiones constantes, y la cantidad de flujos piroclásticos aumentan. La ceniza ya cubre tejados y calles en varios metros a la redonda. Esa ceniza, horas después, al filo del mediodía, envolverá toda la geografía guatemalteca de un gris áspero. Nubes de humo se verán desde la capital. Los caminos a los poblados cercanos al volcán se volverán intransitables y hombres, mujeres y niños correrán con lo puesto, desfigurados de polvo. Las comunidades El Rodeo y Los Lotes quedarán sepultadas, eso se sabrá después, no así el número real de fallecidos y desaparecidos. Como siempre, como toda la vida, Regina se dará cuenta de que nada había cambiado en el país a pesar de su larga ausencia. La explosión del volcán golpearía a los más pobres. Ella buscará en internet "La leyenda del volcán", de Miguel Ángel Asturias, y copiará en un papel el fragmento que leerá una y otra vez, mientras la ceniza se pega a las ventanas del apartamento como llamando más desgracias: "Y a grandes saltos empezaron a huir las piedras, dando contra las ceibas, que caían como gallinas muertas y a todo correr, las aguas, llevando en las encías una gran sed blanca, perseguidas por la sangre venosa de la tierra, lava quemante que borraba las huellas de las patas de los venados, de los conejos, de los pumas, de los jaguares, de los coyotes."

Gérard, por su parte, estará atento a las redes sociales y preguntará por uno de los socios que tenía planificado un fin de semana en el resort de golf La Reunión, en Alotenango. Han podido evacuar antes de que aquel hotel quedara como un santuario arenoso de algún paraje remoto de Afganistán.

Claudia, todavía en pijama, recordará un episodio de su tesis de doctorado, que escribió en la ciudad donde había descubierto el diablo y a la que volvió gracias a una beca Fullbright, New Orleans. Ese episodio ocurrió en 1917. Dos jóvenes alemanes, Claudio Bornholt y Otto Kress, iniciaron una excursión al volcán Santa María, guiados por el ladino Antonio Camey y por los hermanos Patrocinio y Tránsito Rojas, ambos hermanos de origen mam. Dos porteadores indígenas, de los cuales Claudia nunca averiguó el nombre, completaban la expedición. En la noche que pernoctaron en las faldas del volcán, la expedición es asesinada por aborígenes (así reza en el proceso). Bornholt y Camey son disparados, mientras los demás son torturados con aguijones de hierros y cortados con hachas. Para sofocar los gritos, los atacantes les meten una naranja en la boca. Los corazones de estos últimos son arrancados y lanzados al cráter del volcán. Los supuestos agresores fueron capturados, sentenciados a muerte y fusilados. Claudia analiza en su tesis cómo estos asesinatos se convierten en un relato judicial y político de maldad étnica a través de declaraciones en q'eqchi' nunca traducidas o erráticamente traducidas al español, como se evidencia en los innumerables testados y entrelineados en las actas. El propio juez se queja de imprecisiones y contradicciones. Una actora es clave en el análisis de Claudia, María Gregoria López, que se presenta voluntariamente para contextualizar lo que está pasando. Días antes del ataque, unos estudiantes ladinos de Quetzaltenango destruyeron con arrogancia los altares puestos por los indígenas para venerar al Dios del Volcán, Los extranjeros nunca respetan y nadie los obliga a respetar, sostiene ella en un acta levantada con prisa. Es el intento de Gregoria López por vincular la atrocidad a una violencia milenaria. La testimoniante también profiere un oráculo, aquella afrenta causará una epidemia. Semanas después, la viruela se reparte por los territorios, marca rostros, deja costras de memorias infectadas, pero Gregoria López no observará lo acontecido, porque es fusilada con los culpables. Por testiga, por bruja.

Claudia piensa que hay demasiada furia dentro de ella, aquella nacida de la afrenta. La cólera acumulada termina por desbordarse y, en esa explosión, Claudia lo sabe, puede terminar uno mismo arrasado. La cena idílica en casa de Regina no fue un paréntesis en el desasosiego, sino la conciencia distanciada de imponer un freno al descenso. La voluntad de la alegría perdida. Claudia se acerca a Gérard, quien sigue concentrado en el iPad. Se sienta al lado y le dice, con un tono tan apacible como con el que se pide un café, Gérard, hace once años me violaron.

HACIA EL VOLCÁN

Andrés no se perdona haber dormido toda la mañana. Despierta relajado a las diez, cuando todo el país está en alarma. Revisa sus mensajes y son demasiados. Rápidamente entra a las redes sociales y se da cuenta de la erupción del volcán, y también de su ausencia. Se da un baño de gato, se viste, queda con el camarógrafo en la salida a Escuintla. Manejará lo más rápido posible. Pone el letrero de prensa en el vidrio delantero del carro y avanza entre la neblina polvo.

62

Desde la carretera rodeada de palmeras que lleva a Escuintla se vislumbran gigantes nubes de humo. Parece una película de ciencia ficción después de la destrucción de la Tierra. El camarógrafo le hace señas a Andrés. Le entrega un tapabocas.

Los dos periodistas no pueden llegar muy lejos ese día. Ven a la gente que, contra la dirección del carro, camina al lado de la carretera. Un policía los detiene.

Está prohibido continuar, señores.

¿Por qué?

El piso quema, ya hay bomberos heridos. Se derriten los zapatos.

¿De veras no se puede?, ¿no habrá alguna forma?

Yo que ustedes me regresaba a Escuintla, allí ya hay albergues y la gente les puede contar, luego se vienen otra vez por acá.

El cámara toma unas fotos y vuelven a la cabecera departamental. Los institutos y las iglesias tienen las puertas abiertas, por allí entran los pobladores evacuados que se miran desconcertados. Alguno llora. Andrés empezará a circular entre la gente, pedirá testimonios, apuntará palabras, se fijará en los detalles, desplegará el ojo periodístico para empezar a escribir después bajo el reflejo mortecino de alguna bombilla de pueblo.

La adrenalina se activa en el cerebro de Andrés cuando ve la desgracia regada por los patios y los salones improvisados como albergues. El periodista nota, sin embargo, que cada vez con más frecuencia en los últimos meses esa adrenalina dura poco y se instala en su cuerpo un bajón del que le cuesta salir. Andrés se compara con una máquina que repite las mismas palabras y las mismas desgracias. Escribe un mensaje a Regina para cortar su discurso programado. Le cuenta que está en Escuintla. Ella responde a los pocos minutos, va camino a la universidad para dejar un donativo.

Regina cruza la ciudad desierta. Siente placer en la soledad del carro y en las calles que se dejan recorrer sin ruidos ni tráfico. Hay también una belleza después de las catástrofes, se atreve a pensar con cierta culpa.

Regina estaciona el carro en el parqueo asignado para las personas que quieren contribuir con ropa y víveres. Recuerda la risa de Andrés, horas antes. Entrega la bolsa a un grupo de estudiantes y, cuando se dispone a regresar al carro, irrumpe una voz masculina.

¿Regina, sos vos?

Regina se da la vuelta. Reconoce a un colega guatemalteco. Lo conoció en un Congreso en Berlín. Se llama Alberto Rivera.

¡Qué sorpresa, Regina!, le dice Rivera, mientras se agacha para darle un beso.

Ella le pregunta si trabaja en la universidad. Él responde que vino a dar un curso de verano, luego se vuelve a Estados Unidos. Ella le cuenta que ha regresado a Guatemala. Rivera le propone que se reúnan por un café durante la semana.

Si nos deja el volcán, matiza Regina.

Rivera echa la carcajada.

Regina recuerda, entonces, la cena en Berlín. La labia de Rivera. Los ofrecimientos de proyectos comunes tirados en la mesa como dados para atraer la devoción de los estudiantes. Sus consignas políticas que arrancaban la simpatía de los alternativos. Su risa socarrona. Rivera comenta que, a pesar de la tragedia, el día le ha traído las buenas memorias. Regina siente prisa por despedirse. Apunta el número del colega. No sabe si lo llamará.

En el carro, marca el número de Gérard, quien no contesta después de varios intentos. A través de la ventanilla, Regina contempla las humaredas persistentes, las chispas, los ríos de lava en medio del día que se oscurece. Se le vienen las palabras asturianas, la sed blanca en las encías. Como una boca hosca y enorme, así es esa noche.

VOCES QUE MIGRAN

TRANSISTORES, OJO INTRUSO

En 1984, Guatemala tenía siete millones de habitantes. En la capital habitaban aproximadamente 800 mil. Fueron censos realizados durante el conflicto armado y posiblemente esta última cifra no revele a cabalidad las olas migratorias de mujeres, hombres, niños y niñas que huían de la violencia en el altiplano guatemalteco para engrosar los cinturones de miseria en campamentos improvisados, barrancos y terrenos sin los servicios básicos de agua y luz. 1984 fue también, según el REHMI y el llamado *diario militar*, un año en el que las desapariciones de militantes de izquierda alcanzaron los números del aniquilamiento. Mientras el Hombre Lobo, después de entregarse al lado enemigo, andaba por las calles señalando compañeros, el Grupo de Apoyo Mutuo se organizaba, pedía el aparecimiento con vida de los desaparecidos. Ese año regía un militar que hizo levantar las legendarias bancas del Parque Central y las colocó en su casa de la Antigua Guatemala. Ese militar de cabeza en forma de huevo, de nombre Oscar Humberto Mejía Víctores, también comandó la toma de la universidad nacional en 1985, y bajo la custodia de soldados y tanques, fueron requisados uno por uno archivos, escritorios y libreras en otra operación de inteligencia exitosa.

De las escasas imágenes de aquellos años que se guardan en archivos particulares, como todas imágenes parciales, toma forma otra ciudad, una ciudad de ritmos lentos, en donde el transporte público servía, y cierto aire modernizador se imponía en las zonas privilegiadas. El edificio Géminis había abierto sus puertas en 1981, con una terraza rodeada de plantas y, en el medio, una escultura de Luis Díaz representaba dos gemelos de colores vivos que detenían lámparas. El edificio-jardín de la Universidad Francisco Marroquín estaba en obras, y el Teatro Nacional, emulando un jaguar sentado, se imponía en la cumbre del antiguo fuerte de San José de Buena Vista. El viejo centro de la ciudad, con sus iglesias antañonas, todavía convocaba a la clase media a hacer las compras y tomar café en pastelerías de nombres extranjeros, Lutecia, La Palace, la Viena.

En aquella ciudad de 1984, Trompeta entra en la sede de la estación de radio. Va hacia la garrafa Salvavidas y, en un vaso de papel, se sirve agua para calmar el dolor de garganta que trae encima desde hace unos días. Si estuviera en mejor situación, se prepararía el menjurje que recomiendan los locutores de radio: dos onzas de ron, medio limón y un chorro de miel. Si no hace efecto, se repite la dosis sin limón y miel hasta que resulte.

Trompeta, que en realidad se llama Juan Salguero, había llegado a la radiodifusión por casualidad. Él se definía con orgullo como autodidacta. Era el mayor de tres hermanos, que habían crecido en las calles enlodadas de la colonia popular de Guajitos, al final de la avenida Petapa. Sus padres apenas habían estudiado hasta el sexto grado de primaria y esperaban que Juan, a los doce años, consiguiera trabajo. La insistencia de una maestra que veía en Salguero una capacidad sobresaliente para sintetizar y memorizar detuvo las intenciones paternas y así el adolescente alto y de cara redonda terminó los básicos. Después, entraría a trabajar como mensajero para el diario *El Gráfico*. Con una moto Suzuki modelo 1972, Salguero irrumpió veloz en los circuitos de reporteros, estaciones de radio, imprentas, periodistas y fuentes de gobierno. De ese tiempo venía su sobrenombre, porque Juan Salguero siempre entraba a los lugares simulando tocar una trompeta, como si se tratara de anunciar un desfile militar o una comitiva selecta. Muchos años después de ese 1984, su hija Regina Salguero pensaría que él había sido el antecedente más claro del positivismo capitalista del siglo XXI. No importaban las derrotas, tampoco las infamias, Trompeta siempre seguía adelante, encontrando anécdotas y lecciones donde un hombre con más sentido de la realidad habría hallado desolación.

Trompeta fue progresando en el periódico por el uso audaz de las palabras y la intuición para encontrar noticias. De reportero de crónicas rojas pasó a la radiodifusión, en donde se sitúan sus años dorados. La generación de entonces identificaría accidentes, cadáveres mutilados, allanamientos de la policía, pero también desfiles y celebraciones, con la voz grave de Trompeta, que le valió admiradores por todo el país.

Al locutor de radio lo escuchaba también un adolescente que el año anterior había pernoctado en tantas casas, que le era difícil rellenar la casilla de dirección postal en los formularios de la escuela. Sus papás se habían ido al exilio a principios de 1983, aunque a los conocidos se les contaba que Mariela, la madre, había obtenido una beca para estudiar en la Universidad de Toronto y que su padre había preferido seguirla. Por qué razón ese muchacho espigado, moreno y con un aire pensativo, a veces cínico, no los había acompañado era la pregunta que él mismo se formulaba en las fechas de Navidad y cumpleaños. Años después, estando en Estados Unidos, conversaría largamente con el progenitor, quien para entonces había formado una nueva familia, y este le contaría que el matrimonio estaba ya acabado cuando Mariela recibió el aviso de que iba a ser capturada. Pensaron que en Guatemala quedaban los abuelos y le darían al hijo un entorno de mayor seguridad.

En aquel 1984, Alberto se había hecho aficionado a la radio. Conseguía recibir conexiones extranjeras, como Radio Netherland o Radio Francia Internacional. Leía mucho. Alberto venía de una familia de actores de teatro, y por ello, dispuso de libros que difícilmente hubiera conseguido de otra manera. Sin embargo, las voces de periodistas extranjeros y las letras mudas de los textos resultaban insuficientes para entender dónde estaba. Él urgía de una voz patriótica que se tragara los ruidos y silencios de piezas improvisadas que parientes pobres arreglaban con la resignación del vínculo de sangre. Alguien que filtrara el horror del que hablaban sus familiares. La voz que llamara a la normalidad. La voz de Trompeta se volvió acompañante en las cóleras de hijo sin padres, en las dudas existenciales después de arduas lecturas, y también en el conocimiento de las mujeres.

Alberto empezaba a ser consciente de su habilidad para enamorar e imponer deseos a muchachas que confiaban en palabras de amor eterno. El muchacho, mientras oía los programas de radio, hojeaba revistas porno, examinaba cómo tecnificar caricias, hacia dónde orientar los cuerpos, por dónde meter el placer en encuentros clandestinos por los rincones oscuros del colegio. Alberto fue tempranamente promiscuo. Se cansaba pronto de las novias. Sus cuerpos se agotaban con las semanas y entonces venía el imperativo de nuevas búsquedas. El profesor de educación física, el más macho de todos, propinándole un codazo cómplice en el brazo, lo había elogiado.

Puro gallito entre tanta gallina, tenés talento, para eso nacimos.

Precisamente una tarde cuando Alberto leía la carta despechada de la novia a la que había desvirgado, escuchó con estupor que el periodista Salguero había fallecido intempestivamente. Subió el volumen de la radio y oyó calificativos como honesto, trabajador y de una voz que quedará con nosotros para siempre. Le daban el pésame a la esposa, a una hija y a un nieto por el percance. De las informaciones sobre la muerte, nada se dijo del periodista sediento y con dolor de garganta, que en las últimas 24 horas de su vida, se había dado cuenta de que había cruzado el muro. Salguero había aprendido, como todos los periodistas de entonces, a fijar un ángulo de visión estrecho. Había un muro invisible, pero real, ante el cual el reportero se topaba y debía dar la vuelta sin pensarlo dos veces, a menos que quisiera el martirio. La noche anterior Trompeta había entrado en una dimensión desconocida. Un bombero voluntario, informante de la estación de radio, lo había llamado por un accidente que había alterado el silencio nocturno de la ciudad. Un carro Volvo había chocado con un *pick-up* lleno de gallinas cerca del parque Morazán. El conductor malherido del *pick-up* había sido apresado, las gallinas corrían desorientadas por las calles y el dueño del carro, sin lesiones aparentes, dejado libre. Trompeta reconoció de quién se trataba, el jefe de Aduanas de entonces, Mariano Ramírez, un militar que movía millones de dólares en contrabando.

El militar que varias veces había dado declaraciones a la prensa reconoció a Trompeta y le pidió jalón. Se dirigía a una casa en la entrada del hipódromo. El periodista dudó, pues estaba cansado y una premisa en su trabajo era permanecer lejos de militares, pero finalmente lo dejó en la dirección estipulada. Sin embargo, a los pocos metros, se percató de una billetera en el sillón del pasajero. Supuso que era del militar y decidió regresar a la casa. Al acercarse a la entrada, oyó el retumbe de música a todo volumen. Sonaba una cumbia. Salguero tocó el timbre, pero no obtuvo respuesta. Se arrimó a la ventana que estaba a un costado de la casa, por donde salía la luz, y tras los barrotes, en un resquicio de las cortinas, reparó en varios hombres vestidos de mujer que bailaban, con el rostro empolvado de una base blanca, los labios pintados de rojo y turbantes en la cabeza. Pudo reconocer al párroco de la iglesia El Calvario, conocido por organizar las procesiones de Semana Santa, quien daba vueltas en el centro de la pista de baile, mientras los demás aplaudían y el director de aduanas pasaba tocándoles el culo. Salguero no pudo ver más porque un soldado lo tomó del hombro y, entonces, se dio la vuelta, enseñó la billetera y le contó del accidente. El soldado soñoliento entró a la casa mientras Salguero esperaba nervioso. El director de Aduanas salió y, ante la cara pálida de Salguero, le dijo, camarón, aquí no has visto nada. Pero las palabras pronunciadas no aplacaron la certeza de haber cruzado el muro.

La noche se tornó calma en la ciudad. Salguero manejó como anestesiado hasta llegar a la casa. Escuchó la voz de Regina que calmaba el llanto de su nieto. Pensó cuán desprotegidos los dejaría si le pasaba algo. Lo siguió pensando cuando, a la mañana siguiente, al salir a trabajar divisó un *jeep* enfrente de la casa. Como todas las mañanas, caminaba el tramo que separaba su casa en Lomas de Pamplona a la emisora de radio. A la altura del Técnico Vocacional, en medio de los estudiantes uniformados que entraban a clases, un hombre salió del *jeep*, vamos para adentro, le dijo y allí el reportero supo de antemano que todo terminaría mal. Lo llevaron con los ojos vendados por distintos caminos, lo acostaron en el suelo del carro, le dieron patadas en el esternón y le preguntaron por nombres que desconocía. Salguero perdió la noción del tiempo. Creyó que no volvería a ver la luz, pero la voz bronca de uno de ellos le dijo que lo soltarían, a condición de una lista de los periodistas comunistas que estaban haciendo mierda el país. De nada valía decir yo no tengo nombres ni sé de lugares. Debía esforzarse por averiguar y mover la extensa red de contactos que tantos años le había costado. Lo sacaron del carro maloliente en la misma zona donde lo habían capturado. Salguero oyó los aullidos de los monos del zoológico. Caminó rumbo a la emisora como bestia apaleada.

El agua que tomó de la garrafa Salvavidas fue calmando la lengua inflamada del periodista, no así el corazón sobrecogido. Había topado con otro muro que él mismo había erigido. Podía desviar la mirada y dormir bien. Pero delatar, ser un oreja, eso se dijo a sí mismo Trompeta, eso no puedo. Por primera vez en la vida, no salió a reportear en la tarde. Mandó a comprar un Mejoral, porque sentía que la frente se le despegaba de la cabeza, y avisó que daba por clausurado el día. Luego, regresó a la casa y contó a Regina lo sucedido. Ella interpretó la voz entrecortada del padre como el ensayo de una elegía. Entró en pánico. Le planteó dejar la emisora y desaparecer por un tiempo.

Salguero se fue a dormir escuchando los latidos acelerados del corazón. Pensó en ese músculo como una víscera más en las ventas del mercado central. Imaginó pulsar las venas y las arterias para pedirles más sangre fría. Decidió salir a caminar un rato. El aire del cuarto no le bastaba para respirar con holgura. Emprendió la caminata por las calles de la colonia. La imagen del corazón entonces lo llevó a la casilla de lotería de la infancia. La que jugaba con los niños del barrio, todos hijos de obreros. Recordó las navidades sin regalos. Ese deseo por que algún día su padre llegara con un poco más de dinero para comprar cohetes y que aquel corazón dibujado en el cartón de lotería saltara de alegría y rompiera por unas horas el triste semblante de su madre, que siempre terminaba perdiendo dinero lavando ropa ajena. Recordó Trompeta a la maestra que había confiado en su inteligencia, recordó también la escuela, como un pequeño reducto que le limpió la temprana amargura. Y luego, mientras veía el resplandor de la luna, volvió a sentir la adrenalina, montado en la moto Suzuki, presto para llevar mensajes y documentos, conocedor como pocos de la ciudad de Guatemala, desde los confines de las nuevas zonas a las calles cuadriculadas del centro. La ciudad le bombeaba entusiasmo. Trompeta sintió un dolor en el pecho. Pensó en su nieto, ese niño de cinco años de nombre raro.

Juan Salguero se sienta en el arriate, el dolor en el pecho se vuelve insoportable. El reportero se va cayendo de lado, quiere pedir ayuda, pero la voz, esa voz potente, repartida en cables y transistores, la voz de la desgracia y de la dicha, su voz se entrampa en el esófago y entonces se hace el silencio.

CONVERSIÓN EN LETRADO QUE AHOGA LA VOZ

Al terminar de escuchar el programa especial dedicado a Juan Salguero, Alberto concluyó que era tiempo de buscarse el futuro. Pensó en su madre exiliada en Canadá y particularmente en su compromiso político, del cual él recordaba un puño levantado y muchos secretos. Con la sagacidad que potenciaban los libros, supo que el heroísmo no valía nada en esos tiempos. Sospechaba que su madre no volvería o tardaría en volver a Guatemala, y él debía aprovechar el estatus migratorio conseguido.

Alberto se fue de Guatemala en 1985, justo antes de las primeras elecciones democráticas, aunque el conflicto armado perduraba. Después de meses de solicitudes fracasadas, la embajada canadiense le había otorgado una visa de visita a sus padres. Alberto llegó a Toronto sin hablar inglés y tampoco francés. El reencuentro con su madre fue más bien frío y el único gesto que Alberto le agradecería con los años fue haberlo puesto en contacto con jóvenes latinos, hijos e hijas de la extensa comunidad hispanohablante de la ciudad.

Se sucedieron entonces noches de fiesta como oasis en donde desprenderse del silencio de los humillados. El éxito con las mujeres fue otra vez un rasgo distintivo. Alberto cogió con muchachas que, muy diferentes a las guatemaltecas, llevaban en la bolsa un condón y no se perdían en enredos. Ninguna tomó en serio a un guatemalteco que estaba de visita. Pero disfrutaban sus habilidades de seductor y él solo quería experimentar el gozo.

Cuando se acercaba la fecha del regreso, Alberto planteó a su madre optar por un asilo. Mariela se negó tajantemente. Ya suficiente era cargar con su propia amargura. Guatemala seguía representando para ella una promesa, todavía posible en la vida del hijo. Este, en cambio, imaginó la abulia y la pobreza. Lleno de cólera, Alberto caminó horas por la ciudad hasta que, helado de frío, alcanzó a ver una sala enorme iluminada por focos potentes pero agradables a la vista, en donde hombres y mujeres leían concentradamente en escritorios pulcros y con un aire feliz de posesión del tiempo. El deseo de entrar a la biblioteca lo empujó a elaborar un cuadro de posibilidades y ventajas. La más grande, la visa estadounidense. Voy a visitar a mi mamá y queremos pasar a las cataratas del Niágara del lado de ustedes, le había relatado a la empleada de la embajada, quien de mala gana le había tirado el pasaporte con la visa de turista aprobada. Un golpe de suerte, habían dicho otros amigos que salieron de aquella sala diplomática congelados por el aire acondicionado y con la idea fija de cruzar a pie.

Cinco noches antes del regreso a Guatemala, una vez completado el cuadro, Alberto se reunió con Jessica, una puertorriqueña que le había ayudado a perfeccionar los pasos del merengue. Él le contó su voluntad de quedarse. Jessica reconoció la mirada desesperada del que migra. Los ojos del riesgo. Esa misma noche Jessica llamó a unos amigos de unos amigos de un conocido en New York que tenía un restaurante boricua. Le ofrecían a Alberto lavar platos. Empiezas a conocer gente y ya después encuentras otras cosas, le dijo Jessica mientras le acariciaba el pelo.

Alberto cruzó al siguiente día la frontera en un bus lleno de turistas. Cuando contaba este relato, enfatizaba que después del 11 de septiembre habría sido difícil pasar de aquella manera. El camino para entrar a la universidad no fue fácil, pero Alberto se mantuvo determinado. Mientras sus amigos migrantes ahorraban para mandar dinero a sus familias y salir de los supermercados con los carritos de compra llenos de comestibles, él invirtió cada centavo para educarse. Cursos nocturnos de *high school*, clases de inglés y lo que había dicho Jessica, conocer gente. Después vendría un préstamo educativo y una beca, gracias a la cual pudo doctorarse en literatura hispanoamericana.

Una tarde, a punto de terminar la tesis doctoral, Alberto acudió a escuchar a una testimoniante sobre la violencia del conflicto armado guatemalteco. A los pocos minutos el relato le aburrió tremendamente, pero aparentó interés para satisfacer a su director de tesis, quien según Alberto sospechaba, tenía una erección cada vez que se mencionaba la violencia en Centroamérica. Era su tema obsesivo.

Sin embargo, hubo un momento cuando el doctorante despertó del letargo. Se oyó la voz. La testimoniante activó el control remoto y el reporte de Salguero sirvió para ilustrar cómo se naturalizaba la violencia en aquellos años y la complicidad del periodismo. Alberto retrocedió entonces a las tardes junto a la radio, a la voz ágil de Salguero que menguaba el peso de la desesperanza y que también lo había acompañado en el despertar a la sexualidad. Alberto se sonrió, volteó la mirada hacia la ventana, se perdió en el pasto recién cortado del campus universitario y la vida del periodista le pareció más cercana. Las luchas desde abajo los unía. Cómo podía explicar a su profesor que la voz que naturalizaba su violencia había sido, en cambio, para él adolescente en 1984, el escape y su fuerza. Imposible.

Alberto logró graduarse con honores y también contrajo matrimonio con una estudiante de antropología, a pesar de la oposición de amigos y amigas, incluida Jessica, con la que mantenía contacto, quienes conocían la inestabilidad del guatemalteco. Sin embargo, él aseguraba que esta vez la relación duraría. Ganaron los amigos y las amigas. Alberto se divorció a los dos años. Para entonces, ya tenía la nacionalidad americana e iba en el camino correcto para un *tenure*. En ese camino, hubo un incidente que casi arruina todos los esfuerzos. El profesor declaró al comité que investigaba la denuncia por agresión sexual, que la estudiante había consentido y que él nunca había escuchado un no. Lo hubiera oído, insistió. La estudiante decía que no había podido articular un no porque el profesor le había tapado la boca con violencia. *I was almost suffocated*, acotó la muchacha. El historial académico bastante malo de la estudiante y su supuesto romance con otro miembro del claustro, desecharon la denuncia. El profesor pudo conseguir, además, cartas de otras estudiantes que daban fe del respeto que él mantenía con todas ellas. La estudiante que había denunciado se fue del departamento y Alberto respiró aliviado.

OÍR, AMOR GRABADO

El colchón crujía cada vez que Regina se daba vuelta en la cama. Se levantaba, desvestía el colchón, se sentaba en distintos puntos y comprobaba en dónde chirriaban los resortes. Parecía una niña jugando a saltar en la cama, pero era una mujer que no conseguía dormir a pesar del cansancio. El oído se le había trastornado desde el entierro de Salguero. Ella percibía el menor ruido, ya fuera el pataleo furtivo de alguna mosca en el jardín o el impacto de una piocha lejana en alguna obra del vecindario. Los demás no oían nada.

Esa sensibilidad se agravó con espasmos de dolor que atravesaban la parte derecha lateral de la cara. El otorrinolaringólogo le dijo entonces una obviedad, la tristeza baja las defensas y las infecciones oportunistas toman un órgano. El de Regina, el oído derecho. El médico le recetó unas gotas aceitosas y un par de aspirinas antes de dormir. Agregó que debía evitar el estrés y le entregó, como si de un souvenir del propio cuerpo se tratara, una foto de un conducto anaranjado lleno de escamas.

El zumbido y el dolor de oído no cesaron en ese año de 1984. Lo más agobiante fue soportar los gritos de los alumnos. Regina fantaseó con arrodillarlos en la clase y taparles la boca con *masking tape*. Hizo más frecuentes ejercicios de lectura silenciosa y comprobaciones individuales, mientras sentada frente al pupitre examinaba las nacientes manchas de humedad en el salón de clase, preguntándose si las paredes oían. Una compañera de trabajo del colegio la observó una mañana a través de la ventana del aula. Parecía una yegua asustada. Bufando con las patas hacia arriba. La colega la llamó en el recreo. Le recomendó meterse pedazos de *kleenex* en las orejas para amortizar las voces chillonas de los niños. Ella lo hacía cada tanto, sin infección ni nada. Lo hacía cuando soñaba que ahogaba a un alumno.

La comunicación con Gérard se redujo después de la muerte del periodista. Regina carecía de tiempo. La modesta indemnización de su padre y la pensión a cuentagotas que le daba el papá de Gérard la obligaban a dar clases particulares después de salir del Colegio Alemán, donde tenía a su cargo el quinto de primaria. Además, estudiaba por las noches para sacar el profesorado de enseñanza media que le permitiría ascender a la secundaria y ganar más. Poco supo de los progresos en el lenguaje de Gérard, de sus miedos y de sus gracias. Una empleada lo cuidaba de lunes a viernes. La salud de la viuda de Salguero se deterioró en los meses siguientes a la trágica muerte y eso representó más gastos y más trabajo. Una tarde, al final de la jornada, Regina se quedó dormida al volante y fue a estrellarse en un árbol. En ese momento, sintió que la vida no podía ser más mierda.

La aparición de Martin la relacionó Regina con el silencio y la frontera. Los maestros alemanes del colegio vivían en una comarca cerrada, rara vez dialogaban con los maestros guatemaltecos, y si lo hacían, las conversaciones terminaban mal. Se extendía una línea divisoria entre ambas culturas. Mientras los alemanes, según le contaría después Martin, criticaban a los guatemaltecos por sumisos, estos guardaban un rencor hacia esos canches que ganaban tres veces el salario nacional y describían con minucia sus vacaciones en lugares exóticos, a donde ningún turista podría llegar. Una breve interrupción a esa línea tuvo lugar cuando Regina y dos compañeras de trabajo guatemaltecas recibieron la invitación para ir a la fiesta de cumpleaños de Laura Marie, la profesora de matemáticas. Regina interpretó la invitación como un gesto obligado de sororidad de quien se decía feminista y así ingresó en un vecindario de casas grandes, jardines verdes y pisos de parqué, en donde daba pudor asentar los pies. A Regina le pareció otro país.

Las compañeras de trabajo guatemaltecas nunca llegaron a la fiesta. Regina se sintió incómoda entre tantos extranjeros y, como pudo, se escabulló hacia la terraza. Permaneció allí una hora oyendo nada, hasta que Martin apareció de pronto, vestido como si estuviera en un safari. Se sobresaltó al ver a una mujer sentada en una mecedora en medio de la oscuridad. Con un perfecto español, Martin le dijo, perdone no quería interrumpir su paz. Regina se sonrió porque paz no tenía y porque hasta entonces nadie se había excusado por interrumpir su tiempo.

No, no interrumpe nada, ya pronto me voy.

Si es así y me lo permite, me siento un rato. Adentro falta el aire fresco, se quejó Martin mientras aproximaba una segunda mecedora para acomodarse.

Los dos pasarían los siguientes minutos sin pronunciar palabra. Regina había acumulado la apatía del habla y Martin, por su parte, no quería entorpecer ese momento de contemplación lejos del invierno alemán. Cuando las carcajadas desde dentro perturbaron el silencio, el alemán se presentó como un amigo del maestro de ciencias naturales. Estaba de visita aprovechando su estadía en México, donde investigaba sobre el porfiriato para su habilitación.

Me sorprenden tantos retenes en la ciudad, me han advertido que no me mueva solo en el altiplano por el peligro y, mire, de pronto este paraíso.

Este es un país bipolar.

Al menos tienen sol.

Preferiría las sombras.

Martin no podía entender el duelo detrás de esta afirmación. Sin embargo, esas pocas palabras revelaron a una mujer suspicaz, muy distinta a sus compatriotas que estaban adentro, y por eso quiso ser simpático y sacó el tema de la comida. Siempre le había facilitado la conversación en el extranjero.

Muy ricas la mixtas, nunca pensé comer una salchicha con tortilla y aguacate. Hace mucho no las como. Me parecen un ejemplo de lo híbrido.

A mí del caos.

Los dos sonrieron. La conversación empezó a fluir tímidamente entre temas variados. El *Feliz cumpleaños*, cantado bajo el resplandor de las velas, marcó el final del encuentro en la terraza. Martin propuso ir a comer mixtas al día siguiente. Y así lo hicieron. Fue el primero de varios encuentros en el mes que estuvieron juntos. Él canceló todos los planes para ajustarse a los horarios de Regina y ganar tiempo para calibrar la compatibilidad de ambos con la amenaza del Atlántico de por medio. Martin no conoció a Gérard en esa primera visita a Guatemala, sin embargo, supo que el niño ya estaba implicado en cualquier plan con la guatemalteca.

Regina extrañó a Martin desde el momento en que lo fue a dejar al aeropuerto e interpretó como una señal de buen agüero la primera llamada del alemán al arribar a Hamburgo. La relación en la distancia duró dos años, y fue sostenida por llamadas y casetes que ambos se enviaban con regularidad. Regina aprovechaba la soledad de las noches para escuchar los mensajes. Como los audífonos lastimaban sus oídos convalecientes de la infección que tardó tanto en sanar, ella se colocaba cerca del tocador de casetes y, en la oscuridad, reposaba su mano sobre el metal del aparato como si aquella fría dureza le recordara los golpes dentro y una ciudad a la que ya no quería pertenecer. La pila de casetes en la mesa de noche configuró un pequeño archivo en donde extraer señales para encontrar otro camino. Las compañeras de trabajo nunca entendieron cómo ella podía estar enamorada de un hombre extranjero que había visto durante un mes y del cual solo le había quedado la voz.

Cuando murió Martin, por ironías de la vida a causa de un infarto, Regina juntó aquellos casetes que ambos habían grabado durante los dos años de relación trasatlántica. Sabía que nunca sería capaz de volver a escucharlos. Los metió en una bolsa. Los guardó por unos meses hasta el verano siguiente. Entonces, compró un pasaje a Cádiz. Se hospedó en el mismo apartamento en donde se quedaba con Martin durante los veranos. Al atardecer del segundo día, se arregló y caminó largamente por el malecón. La bolsa plástica pesaba. Cuando de pronto se quedó sola, tomó impulso y la tiró al mar.

FINCA DE CAFÉ

Las puertas de la galera que fue la escuela se han cerrado. Margot carga un mapa de Alemania, y un bolsón donde metió cuadernos, plumas y lápices. Camina hacia el casco de la finca El Porvenir, abriéndose paso entre la niebla espesa. Recuerda el primer día de clases, cuando había cumplido diez años de haber arribado a Guatemala y después de una acalorada discusión con la matriarca de la finca, su suegra Emma, había logrado improvisar un espacio para dar clases a los hijos de los trabajadores. No había sido fácil para Margot encontrar un hogar en aquellos parajes húmedos en donde Emma imponía su orden, desde la disposición de los platos en las repisas hasta con quiénes se podía o no hablar. Margot había crecido en el puerto de Bremen, donde conoció a Hans Richter en una feria local de promoción del café de ultramar. Guatemala fue para Margot un nombre exótico que le mereció respeto desde el primer momento y que se interpuso en el lenguaje de los primeros días de enamoramiento. Hans no tenía mucho tiempo y se esforzó en convencerla, aquel remoto lugar era el sitio para los sueños, como había afirmado su compatriota Karl Sapper hacía algunos años.

Margot no creyó la labia de su futuro marido, sin embargo, las memorias infantiles de los rigores de la guerra la empujaron a embarcarse. La recién llegada gozó en los primeros meses la abundancia de los frutos y las verduras de la tierra guatemalteca, así como aprendió también que la piel blanca y un apellido alemán le otorgaban privilegios que facilitaban la vida. Entendió a qué se refería Hans con los sueños. Pese al entusiasmo inicial, la vida cerrada del círculo alemán le fue pareciendo extenuante a Margot. La condenaba a estar siempre cerca de su suegra. Intentó conversar con las sirvientas y algunas mujeres de los mozos colonos. La comunicación solamente fue posible en el nivel básico de las señas. Su español errático, la lengua q'eqchi' de la gente, y una desconfianza que se palpaba en los ojos, se confabularon contra los intentos de Margot en ampliar su mundo. La idea de organizar una escuela tomó forma a medida que Margot progresaba en el idioma y constataba los engaños lingüísticos a los peones de la finca por parte de los habilitadores. Emma se opuso desde el primer momento al proyecto escolar de su nuera, aduciendo la inutilidad del conocimiento para quienes iban a recoger café toda la vida.

Si van a hacer esto siempre, para qué una escuela. Nada podemos hacer contra los habilitadores, son nuestros aliados. No entiendo, Margot.

La fundación de la escuela se pospuso no tanto por la oposición de Emma, sino por el nacimiento de Fritz, al que Margot dedicó todas las horas del día. Después llegarían dos hermanos más. No sería sino hasta que los vástagos se trasladaran a la capital para estudiar la secundaria en el Colegio Alemán, cuando finalmente ella pondría en marcha sus ambiciones de enseñanza. La brecha con su suegra se abrió más en aquellos días de preparación, cuando Margot hizo acopio de útiles escolares se acercó a la biblioteca del Club Alemán para conseguir libros usados, se puso con los peones a martillar tableros que sirvieran de mesas para los alumnos. Aquellos días coincidieron con un hecho que marcaría la vida de Margot. Un comando guerrillero había secuestrado al embajador alemán Karl von Spreti el 31 de marzo de 1970 y el país estaba en vilo por el paradero del diplomático. Margot lo había conocido en una fiesta meses antes. Confió en que se pagaría un rescate y lo dejarían libre. Sin embargo, cuando regresó de hacer mandados en la cabecera departamental, oyó en la radio el desenlace trágico. El cadáver había sido encontrado en San Pedro Ayampuc, un poblado cercano a la ciudad de Guatemala, con dos impactos de bala en la frente. Margot no salía del estupor. Viajó al día siguiente a la capital para firmar el libro de condolencias en la embajada y, vestida de luto, reunió a sus tres hijos, les habló de un país hermoso que albergaba gente sedienta de sangre. Les dijo que no era cristiano matar a un inocente. Les advirtió del mal, de los que empuñaban el arma haciendo suya la palabra odio.

La escuela se convirtió en una fortaleza en donde contener aquella sed de sangre. Margot puso todo su esfuerzo en convencer sobre el imperativo de una paz paciente y mansa. Contó con ímpetu la historia alemana, de cómo habían salido adelante los ciudadanos después de la Segunda Guerra Mundial. Recalcó el valor de sus suegros, y de los padres de sus suegros, el haberse jugado el destino viniendo a Guatemala y empezar de cero. Indicó cómo ellos habían debido migrar para tener una tierra. La base de todo era aguantar y mirar hacia adelante. La palabra prohibida era resentimiento. Una pregunta destanteó en esos años el discurso apasionado de Margot. Una niña q'eqchi' levantó la mano y preguntó:

¿Y adónde debemos irnos nosotros para tener tierras?

La maestra cambió de tema y propuso ir a jugar fútbol, como ahora propone a la vieja Emma dar un paseo por el patio de la finca para cerrar simbólicamente pasados enfrentamientos. Le cuesta caminar a Emma, pero agarra fuerza, pues con cada paso marca escenas de una cronología épica en esta tierra. Su adolescencia y los bailes en el Club Alemán bajo la esvástica, las visitas de Jorge Ubico al casco de la finca frente a las filas de indígenas formados como soldados, la expulsión de su marido después de que Guatemala declarara la guerra a Alemania en 1941 pero su regreso heroico, la llegada de la Revolución de Octubre y el peligro de perder más tierras, la caída de Arbenz y los cohetes que ella misma quemó esa noche, su benevolencia con los gobiernos que llegarían luego, el horror de la masacre de Panzós provocada por una polarización que había rebasado sus propias previsiones, los cadáveres en las cunetas en los siguientes años.

Emma pide una pausa y se sienta en una piedra. Margot le cuenta que donará el material didáctico a la escuela municipal.

¿Incluso el mapa de Alemania? pregunta Emma con ironía.

Margot reconsidera. Se lo llevará a Pablo, el hijo de Fritz.

En lugar de estar viendo mapas, que vengan estos nietos míos a cuidar la finca de la que hemos vivido, sentencia Emma.

Margot ha odiado a su suegra todos estos años, sus miserables costumbres, las duchas frías en la madrugada, la frugalidad en la comida, el olor de ropas mal lavadas, las oraciones con la *Biblia* en mano y la costumbre de gritar en alemán a los mozos colonos. Sin embargo, posiblemente porque el odio se engendra en la dependencia, no ha podido desprenderse de Emma como fuente de certezas en un país que le sigue pareciendo extranjero.

Margot goza el viento de la tarde, deja de escuchar la voz de Emma y piensa en su descendencia, en cómo se hincha de orgullo al escuchar en la radio las declaraciones de Fritz, su voluntad clara de llevar el país al desarrollo lejos de las trampas del comunismo. El espectro de Karl von Spreti, su asesinato cruel, aparece en esas palabras.

Pocos días le quedan a Margot en la finca. Fritz le ha pedido que se traslade a la capital para cuidar de sus nietos. No debe angustiarse por la finca ahora, le había dicho Fritz. De buenas fuentes él sabía que el conflicto armado ya estaba decidido en ese 1984, a pesar de que faltaban años para firmar la paz. Además, se queda la abuela en la finca, argumentó Fritz por teléfono, y ya sabe usted, ella es invencible.

DESTEJER, RECORRIDOS

MAL HUMOR

Nunca había padecido de insomnio. Le parecía una fragilidad mental angustiarse cuando la noche no ofrecía salidas viables. El día estaba hecho para luchar y esto solo se conseguía con la reparación nocturna. Para Gérard, el peor estado de un hombre era la duda. Lo había vivido de niño, cuando llegó a Alemania y cada fragmento de la realidad provocaba preguntas que su madre contestaba con un no sé. Después, ya no fueron las dudas irresueltas sobre la tierra extraña, sino participar obligadamente de las hipótesis falsas que su madre perseguía diariamente en el largo proceso de la escritura de la tesis doctoral. Gérard la observaba frente al escritorio en un vaivén angustioso de escritura y borrado, que la transformaba en un ser taciturno, obstinado y, sobre todo, dubitativo.

Gérard acomoda por enésima vez las almohadas. Duerme en el sofá del apartamento de Claudia. Es la quinta noche después de la erupción del volcán, que en su cronología íntima, marca una caída. Ha repasado hasta el cansancio sus palabras y las de Claudia, que en verdad han sido escasas. Claudia había creído que contar la violación iba a suponer una confesión descontenida, un monólogo irracional, pero había sido lo contrario. Apenas había relatado el nombre del profesor, el año de lo ocurrido, el ofrecimiento para acompañarlo al apartamento. Gérard tampoco había articulado preguntas adicionales. Su pudor calló el impulso a indagar. De ahí que con los ojos parpadeantes de dilemas y el cuerpo inquieto, ya por el calor de la sábana o por la irritación de la piel al sobarse en el plástico del sofá, Gérard se adentra en la opacidad. Hasta entonces este empresario había menospreciado la interpretación de las palabras. Le parecía que el mundo procuraba suficiente información para organizar una idea estable de uno mismo y de los otros. La connotación que su madre enseñaba a los alumnos, como una doblez implicada en el texto literario, suponía para él un camino infructuoso hacia la imaginación y sus inútiles posibilidades. A él le interesaban los datos, las regularidades, las posibles predicciones basadas en flujos de informaciones fiables. El acto individual de interpretar con base en las palabras y los silencios de Claudia lo intranquilizaba. La Claudia asequible había desaparecido en esa noche. Y él también, como hombre literal del que ella se había enamorado, porque en esas razones de por qué te quiero, ella siempre enunciaba tu franqueza, nunca dobles intenciones.

Gérard se levanta, abre con mucho cuidado la puerta de la habitación de Claudia, quien duerme profundamente. En los últimos días, ese ha sido el estado predominante. Dormir. Claudia se lo ha dicho, se siente derribada por la gravedad. Le hace bien explayarse en la cama y desconectarse del mundo. Él se ha encargado de los detalles prácticos. Conseguir un certificado médico para enviar a la universidad, que pronto reanudará las clases. Abrirse paso en el supermercado, desbordado por gente que cree en el fin del mundo y deja los anaqueles vacíos. Limpiar el hollín que se ha pegado a las ventanas del apartamento. Preparar la comida que apenas toca Claudia.

Gérard sopesa en medio de la oscuridad una ayuda psico-lógica, que ya mencionó a Claudia, pero ella había sentenciado, en once años he resuelto todo, necesito tiempo, estoy agotada, en este momento no puedo iniciar nada. En todo caso, ella no creía en psicólogos ni terapias que a estas alturas solo iban a socavar su propio trabajo de olvido. Lo que requería era que ese olvido fuera custodiado, que alejaran al profesor de su cercanía, que lo condenaran fuera de los muros de la ciudad.

Gérard cierra la puerta de la habitación. Enciende el iPad. La noche intensifica la ferocidad de las búsquedas. Como cazador con escopeta arrastrándose en el suelo, apuntando hacia el ojo del animal, estudia durante horas al tipo. No tarda en escrutar el perfil de Facebook, encontrar entrevistas, listar su producción bibliográfica, espiar las imágenes de Instagram. Le irritaba especialmente una foto recién posteada. El profesor acababa de ser papá, con casi sesenta años. Se jactaba del regalo de la vida y posaba semidesnudo con el hijo, de unos seis meses, que a Gérard le pareció una liebre asustada cogida de las orejas. Decía Rivera que ya era padre de otros dos, que las primeras palabras del bebé en brazos no habían sido los tradicionales papá y mamá, sino luz y agua. Solo faltó tierra, piensa con ironía Gérard, que sigue la lectura de textos escritos con tono autoritario, pero disfrazados de buen amigo, como háganse el favor de leer cuanto antes este artículo, no pueden dejarse llevar por lo aparente, aquí les dejo un texto imperdible, no pueden obviarlo. Vagamente Gérard recuerda los cumpleaños de Martin, cuando colegas y unos cuantos alumnos de doctorado llegaban a la casa y, al entrar, se transfiguraban en pequeños seres que decían sí a las afirmaciones de Martin, se reían de los malos chistes del padrastro, se sonrojaban cuando el *Doktorvater* reconocía algún valor a una opinión proferida. En el fondo, era la misma servidumbre de los meseros de Pretoria o del Club Alemán.

Es allí donde cobra fuerza la idea de la venganza. Le ofusca la pose del sabelotodo, el discurso progresista de causas grandes, cuando con una mano, el profesor escribe sobre el oprimido y, con la otra, sofoca el grito de la alumna violada.

Gérard sabe que es muy tarde para denunciar. Pero hay medidas drásticas. No puede resignarse, como sugirió Claudia, a que el cabrón ese se vaya. Porque tarde o temprano ocurre el regreso. Con rabia abre su cuenta de correo. En la madrugada no se atreve a dejar mensajes a Fritz, quien frecuentemente olvida silenciar su teléfono. Le escribe un correo electrónico de cuatro palabras, necesito verte cuanto antes. También escribe a su madre, a quien no ha visto desde la cena. Le dice que está bien, pero Claudia anda indispuesta y prefirió acompañarla. Volverá al apartamento al día siguiente, aunque ese día en el reloj ya ha empezado y el cerebro del hombre herido no razona, sino salta como gato de monte embravecido.

Gérard da un puñetazo sobre la almohada y vuelve al cuarto para velar el sueño de Claudia.

❀

Además de la ceniza, la pluma volcánica contiene componentes gaseosos como el dióxido de azufre. El gas puede afectar la salud humana, irritando la nariz y la garganta cuando se respira, y reacciona con el vapor de agua para producir lluvia ácida. El dióxido de azufre puede formar partículas de aerosol que, a su vez, facilitan brotes de neblina y un enfriamiento del clima. Por eso Andrés inhalaba con dificultad el aire después de regresar de las zonas aledañas al volcán. Le dolía la garganta. Necesitaba beber algo caliente. Titiritaba de frío. Fue a la cocina y no encontró nada en el bote del café. Hacía semanas le habían regalado unas bolsas de té como promoción a la salida de un mercado. Buscó de arriba abajo. Las bolsas de té aparecieron estrujadas en la basura. La idea de tomar solo agua caliente le produjo un bajón de ánimo.

Calculó que a esa hora ya habría abierto el Súper 24 de la esquina. Se puso una chumpa y decidió caminar. Compró café, unos paracetamoles, pan de rodaja, jamón y mantequilla. La que quedaba en el refrigerador estaba rancia.

Andrés volvió al apartamento. Se preparó el café y un sándwich, se sacó la ropa y se metió a la cama. Colocó la computadora encima de la frazada y empezó a escribir un texto sobre Joaquín Subuyuj. De la catástrofe del volcán todos estaban escribiendo, él quería detenerse en una pequeña historia. En plena industria 4.0, cuando el mundo digital todo lo determina, este hombre de sesenta años se dedica a vender libros de casa en casa. Recorre pueblos y caseríos. La clientela escasea y, por ello, Joaquín Subuyuj se sube a las camionetas la *Esmeralda*, que viajan de Escuintla a la ciudad capital a velocidad suicida. Allí recita poemas, lee fragmentos de narraciones y reparte fotocopias de los textos pintados por su esposa. Cobra por cada papel dos quetzales. Subuyuj perdió el rancho donde vive. Es uno de esos individuos que engrosan la categoría de la pobreza. Cuando le preguntó qué hará ahora, Subuyuj, que se denomina un hombre de literatura, se encoge de brazos.

Andrés odia lo que acaba de escribir y lo que escribe desde hace meses. Se figura a sí mismo como un explotador de historias. Vive en la ilusión de informar y cambiar algo, pero cada día se convence más de una pulsión mediocre que lo guía. Lo que en realidad hace, piensa el periodista, es manipular el dolor de los otros para conseguir un buen texto. Oye las historias de los más desgraciados, las convierte en escritura y luego las olvida. Le queda el orgullo del algoritmo efímero, nada más eso. Como ocurrió con el reportaje de la muchacha sepultada en La Verbena. Andrés borra lo que acaba de escribir. No lo soporta.

Por la ventana se filtra una luz matutina que produce placer en el cuerpo. Andrés sale del formato Word y abre su cuenta de correo. Le escribe a Regina preguntándole un simple cómo está. Minutos después, ella responde que está bien y devuelve la misma pregunta, como *ping pong* electrónico. Él le cuenta sobre la irritación en la garganta. Regina, entonces, lo instruye con un remedio infalible. Lo aprendió de su padre. Andrés se sorprende cuando se entera de que ella es hija del locutor Salguero. Leyó sobre él en la clase de historia del periodismo. Una figura compleja, había sido la definición del catedrático. Con ello se refería a un periodista popular, transigente con los gobiernos militares, pero reacio a los sobornos que la mayoría de sus colegas recibían puntualmente cada fin de mes en las oficinas de gobierno. Esta generación de periodistas, había puntualizado el catedrático, solo puede comprenderse desde la censura y autocensura, pero en ese espectro, existen varios perfiles. Salguero se distinguió por el humor llano e ironías puntuales que, al cabo del tiempo, empiezan a cobrar valor como glosa insubordinada en un orden de cosas autoritario.

Andrés transmite su sorpresa e inquiere sobre la carrera del periodista en uno de los varios correos que intercambia con

Regina esa mañana. A ella le cuesta reconstruir al padre. Han transcurrido demasiados años desde que frotó con un trapo los anteojos de Salguero, antes de que él saliera a caminar agobiado por el peso de la escena travesti en el ojo. Se hubiera querido quedar ciego, le había dicho a la hija, y desaparecer como testigo.

No solo el tiempo modela la memoria, también la extranjería. En Alemania, Regina dejó de ser hija. Las genealogías se pierden muy pronto en la sociedad a donde se llega, más aún cuando se viene de un país lejano y pequeño como Guatemala. Resultaba imposible para ella traducir su historia en la nueva lengua, no solo porque las palabras faltaban sino porque las referencias resultaban incompatibles. La única transferencia posible era le empatía y Regina desconfiaba de la identificación con la desgracia del otro. Ella misma había aprovechado lo intraducible como un corte quirúrgico para sacarse la impotencia por la muerte de Salguero y, con ello también, evadir la responsabilidad de dimensionar su vida pública. Ahora que empezaba a relatar algunos fragmentos de la vida del padre, ahora que alguien le había dicho sí lo conozco, Regina se daba cuenta de que había vuelto, otra vez era hija y las costuras de aquel gran corte de una vida a otra, del tamaño del Atlántico, se soltaban.

Andrés llega a pensar en algún momento, tras las letras de Regina, si Ejidos representaba, sin proponérselo Gérard, una segunda parte a la voz informativa del abuelo materno. Si él también estaba recibiendo una herencia debatida entre la pasión de la noticia y la esterilidad de un país que no cambia. Gérard responderá alguna vez que nunca existieron segundas partes, invertir en Ejidos había sido simplemente un acercamiento al mundo político de Claudia.

Andrés y Regina acuerdan volver a verse cuando ella ya esté instalada en el nuevo apartamento. Andrés cierra su computadora. Empieza a contar con los dedos. Regina es diecinueve años mayor que él.

❋

Das ist verrückt, había sentenciado Fritz.

Crazy, verrückt, demente. En cualquier idioma, no tenía sentido contactar un matón. Ya verás que te arrepientes, había agregado Fritz, porque Gérard no medía las consecuencias de cruzar la frontera hacia los sicarios. Fritz había vivido el conflicto armado y creía que, en ocasiones extremas, como cuando el enemigo avanza a pocos kilómetros de donde se vive, el asesinato era inevitable. Pero, ante un Gérard que no precisaba por qué y contra quién, ante un Gérard que, bajo presión del mentor y con prisa, inventaba la historia de un socio traidor que se había robado mucha plata, todo pedido de violencia se entrampaba en la insensatez.

Gérard no podía contar nada, Claudia no se lo perdonaría. Le queda como último cartucho decir con voz suplicante.

Solo quiero ejercer presión.

Pero el astuto alemán se niega tajantemente a facilitar un contacto. Se saca de la bolsa del pantalón un pañuelo blanco y lo ofrece a Gérard, cuya frente sudada refleja ansiedad. Qué hubiera hecho Emma se pregunta Gérard mientras desvía la mirada hacia la pared en donde cuelga el retrato que Pablo hizo de su bisabuela hace un par de años. Se sirvió de unas fotos encontradas en la finca. Tomó el lápiz carbón y delineó la mirada fría y empecinada de quien murió con bastón en la mano entre los arbustos de café. A Gérard se le figura de pronto que Emma va a saltar del cuadro para mostrar el temple que a él le falta e imponer la lección al violador. No oye cuando la empleada le ofrece un té.

Cálmate, insiste Fritz.

Pero Gérard no se calma. El té resulta insulso. Gérard traga con dificultad. La furia atasca los movimientos regulares del cuerpo, sean párpados que se cierran o garganta que deglute. Gérard deja la taza y apenas se despide del mentor.

La empleada airea la sala porque Gérard ha dejado tras de sí un olor pestilente. El mismo olor que nadie soportará en la oficina. Gérard ha usado la misma ropa desde el día de la erupción y el desodorante de Claudia no aplaca los malos olores de sus axilas sudadas. Fue Regina, quien al acercarle para darle un beso, confesó el tufo. Gérard, andate a duchar, olés fatal, dijo ella contrayendo la nariz y creyendo que su hijo regresaba agotado pero satisfecho por una Claudia recuperada. Nada más lejos de esta hipótesis. El cuerpo de Gérard expiraba desconcierto. Ya solo y bajo el agua de la ducha, Gérard se fija en el glande caído, como el niño que descubre el órgano sexual y no sabe para qué sirve. Gérard lo toca con la mano enjabonada, lo sangolotea. Se siente eunuco.

LIBROS

Claudia se fija en las libreras detrás de las cuales, sospecha Gérard, vive una fauna de seres que crecen cálidamente en la sombra. Claudia ha dormido largamente y siente la energía reactiva de los estímulos. Decide que separará una de las libreras para comprobar si la hipótesis del novio es cierta. Toma grupos de libros y los acomoda en el piso en distintos viajes y, para ello, se sostiene en la escalera movible que le permite alcanzar los entrepaños de la parte superior. Una vez que la librera se encuentra despojada de todo contenido, la mueve con fuerza, se pone los anteojos para leer y, con una linterna, enfoca las paredes. Las recorre varias veces. Parecen saludables a pesar del polvo que ha dejado marcas. Sin embargo, en la parte inferior izquierda detecta una mancha verde. Se acerca lo más posible, debe mover un poco más la librera y dirige la luz a corta distancia. En efecto, hay moho. Decide entonces que repetirá la operación con las tres restantes libreras, y para ello, se enfunda una camisa vieja. En esta segunda parte, Claudia adquiere rapidez, parece una bibliotecaria que reclasifica los libros. Vuelve a alumbrar y descubre dos áreas más infectadas por moho. No son alarmantes por el tamaño. Recuerda la pared de la bodega en el bar de Tom en New Orleans, invadida por un mosaico de morados, verdes y negros, y los tratamientos agresivos que se aplicaron por varios días. En su caso la situación no llega a la gravedad, pero pedirá a Gérard algún químico para rociar la superficie.

La idea de exterminar lleva a Claudia a tomar un libro que leyó hace algunos años, con ocasión del juicio seguido a Ríos Montt y en cuyas páginas todavía aparecen marcas con lápiz.

Fue un libro sobre el cual esperó comentar con Gérard, cuando empezaban la relación, por el vínculo que él mantenía con Alemania, pero prontamente Gérard dio signos de que el tema no le importaba y se delataría tal cual, un hombre poco interesado en las lecturas políticas y filosóficas. Todo conocimiento para Gérard debía aportar una utilidad práctica. A veces se había preguntado Claudia cómo la relación entre ellos funcionaba, siendo tan distintos, ella que en esos planes abstractos del amor había figurado como una premisa a un hombre letrado.

Claudia toma *Eichmann en Jerusalén* de Hannah Arendt y hojea los pasajes subrayados. Su sueño había sido escribir una crónica, un comentario político, un reporte periodístico, todo lo que constituía ese libro de Arendt, y así dejar constancia de las audiencias celebradas en el juicio por genocidio de Ríos Montt. Incluso, había empezado a redactar las primeras páginas, pero luego el trabajo del día a día anegó el proyecto. Informes, exámenes por calificar, listas que se deben llenar.

Todo pasaje subrayado pierde la razón de serlo con el paso del tiempo. En ocasiones se convierte en una pieza de nostalgia por la persona que uno fue, pensaba Claudia. Ahora, en esa mañana, después de varios días metida en la cama, después de haber decidido dejar entrar a Gérard al pasaje más oscuro de su vida, ella leía: "Mientras los testigos, uno tras otro, interminablemente, relataban las escenas de horror, los asistentes escuchaban el relato público de historias que no hubieran podido soportar si sus propios protagonistas se las hubieran contado en privado, cara a cara."

Claudia se queda viendo las libreras vacías. Apunta en una hoja BANALIDAD DEL DOLOR. Toma la computadora, busca el perfil en Facebook de una amiga que fue molestada de niña por un primo mayor y decidió contarlo públicamente como una forma de catarsis, también de declaración, no en el foro judicial que ya ha prescrito, pero sí en ese río revuelto que son los amigos de las redes sociales. Claudia copia algunos de los comentarios, que formaron una multitudinaria cadena de reconocimiento al valor. *Te admiro* es el *leitmotiv* de esos mensajes que también son imágenes

Un oso con un corazón en donde se lee *A big hug for you*
Rachel y Phoebe de *Friends* abrazándose
La princesa Sofía haciendo una reverencia
El Chavo del Ocho y la Chilindrina en otro abrazo
Unos globos rojos moviéndose de arriba abajo con un *Sending virtual hug*
Leonardo DiCaprio en un fuerte aplauso.

Se pregunta Claudia si el horror se ha vuelto soportable a través de la salvaguardia de la pantalla. Si somos capaces de reducir la empatía a un momento delirante de emociones, que tan rápido se forma como se diluye. Si ante el abuso sexual a una niña, es legítimo un *gif* que lo mismo pudo ser utilizado para celebrar el día de San Valentín. Y qué pasa, se sigue preguntando Claudia, si al leer esos testimonios ya no reconocemos a la víctima sino a quien nos invita a examinar por un momento el centro privado-prohibido-codiciado de los otros. La banalidad del dolor, se dice Claudia, es allanar en la intimidad de quien articula palabras de dolor, reducirlo al espectáculo y elegir el falso consuelo. La banalidad del dolor es también ofrecerse a ese acto.

Otra palabra que copia Claudia, SANACIÓN. A ella esta palabra le evoca los testimonios de los hermanos en la antigua iglesia y sus rostros compungidos, la imagen del pastor que subía los brazos y clamaba la unción del Espíritu Santo para cerrar la más temible de las heridas, porque la gracia de Jehová es infinita, así lo proclamaba. Sin embargo, resulta evidente, piensa Claudia, que esa palabra expresa una percepción colectiva dominante, más allá de los muros de las iglesias, la percepción de encontrarse en la época global de curar heridas. Basta leer las invitaciones a compartir los relatos del dolor, desde distintos puntos ideológicos y escalas sociales. Convencer del poder de la voz que confiesa en público y pide alivio. Animar a escarbar las emociones en lo más duro de las entrañas y, entonces, congraciar la indulgencia en círculos, grupos o redes. Claudia toma otro libro, el que le regaló la mamá de Gérard, porque ella habló de reconstrucción lejos de Guatemala. Son las cartas que escribió la poeta guatemalteca María Cruz, unas cartas sobre la disciplina como contención a la angustia, unas cartas de indagaciones de sentidos universales, a partir de la necesidad de expatriarse, "Esta es la vida espiritual que yo soñaba, sin mortificaciones, sin celda ni sayal, sin votos, sin claustro." Claudia piensa si a contrapelo de la exposición banal y de la sanación pública, es posible algo similar a aquella vida. Son acaso la celda y el claustro las experiencias para resguardarse de la mirada obscena de los otros y bucear un sentido en la vida. Otras preguntas arrasan en ese cuarto desmontado de libros. ¿Cómo se pagaba María Cruz la vida espiritual en la India? ¿Fue el capital acumulado por el padre como intelectual orgánico de la Reforma Liberal que despojó de tierras y cuerpos a los indígenas? ¿Podría ella, Claudia Bran, asirse otra vez a sus progenitores, y pedirle al padre finquero la posibilidad de aquella expatriación y alejarse?

Claudia deja los libros en el suelo. Se queda meditando sobre las salidas y los encierros voluntarios. Sobre los seres vivos que crecen y se propagan. Sobre el negro verde de la pared que molesta la mirada. Llama a Gérard, quien contesta de inmediato, alarmado. Ese es el estado de ánimo que lo define en estos días. Claudia lo calma, le pide que consiga un *spray* para echar sobre el moho en la pared.

Quiero liberar mi territorio, enuncia ella.

Le sorprende ver en los escaparates los libros escritos por gente que militó en la clandestinidad cuando ella vivía en Guatemala. Toma uno de esos libros con nerviosismo, como si alguien la estuviera vigilando. Lee con suspicacia, porque la desconfianza mutua se extiende en esta etapa de la historia que alguien llamó posguerra. La poesía, empero, con la distancia referencial, se vuelve dúctil y los versos van desdibujando las ideas preconcebidas, la página despliega el paisaje de Berlín.

> *Berlín en ruinas*
> *Y el Spree se deshiela.*
> *Tú ves las aves anuales que traen la primavera*
> *desde el Senegal,*
> *Y para ti son irrenunciables.*

Porque extranjera es tu memoria
y fiel tu corazón (la boca rosa en la nieve
y la traición de abril en el semblante)
te daría un planeta de océanos infinitos
Y una atmósfera azul.
Todos los pájaros que vuelan
de norte a sur te daría

Regina revive con estos versos un paseo junto a Gérard, precisamente en ese pequeño poblado berlinés en la ribera del Spree, Köpenick. Ella había empezado ya su tesis doctoral en los fondos del Instituto Iberoamericano de Berlín durante una corta estadía. Se aproximaba tímidamente la primavera y decidió traer a Gérard un fin de semana. Martin estaba ocupado en la defensa de una tesis. Caminaron madre e hijo por aquel pueblo, y como pocas ocasiones, Regina logró captar el interés de Gérard cuando el guía local les contó la historia del capitán Köpenick, en verdad un tal Voigt, nacido en 1849, hijo de zapateros, que se ve obligado por la pobreza a falsificar un pagaré de poco valor. Le cae encima una condena desproporcionada: doce años de prisión. Voigt aguanta, se reintegra a la sociedad, vuelve a caer en prisión injustamente y logra la libertad de nuevo. Un día, caminando por el barrio rojo de Wedding, Voigt compra un uniforme militar de capitán en un mercadillo de segunda mano. Atalaya una tropa de soldados, finge ser capitán y, después de una cerveza compartida, la conduce para tomar por asalto el pueblo de Köpenick. La operación resulta exitosa, el alcalde es expulsado y Voigt se hace con el dinero de la ciudad. La opinión pública, esa opinión volátil, se inclina a favor del hijo de los zapateros. La genialidad del fraude ante el orden establecido catapulta a Voigt como el capitán de Köpenick. Vendrá luego su captura y una rápida liberación bajo la presión popular. Será recibido con simpatía a donde se presente. Su popularidad se vuelve peligrosa. Es entonces cuando la administración alemana intercede para que Voigt obtenga un pasaporte luxemburgués y se aleje de la escena pública. Gérard no se perdió un detalle de la historia del capitán Köpenick. Pidió retratarse junto a la estatua conmemorativa. Se compró una cachucha militar. Regina apretó demasiado pronto el botón de la cámara y la alegría diáfana del hijo no tuvo cuerpo ni rostro, cuando, como reza el poema, el Spree se deshielaba y las aves migrantes volvían del sur. La epifanía infantil de Gérard fue súbita y veloz.

Una epifanía distinta, otro sur que se traía a cuestas, había marcado la llegada de Mario Payeras a la República Democrática Alemana a principios de los años sesenta. Regina apenas sabía del nombre del filósofo-escritor-guerrillero cuando Martin le enseñó el expediente estudiantil de un jovencísimo guatemalteco que había cursado con éxito estudios de Filosofía en el Herder Institut de la Universidad Karl Marx de Leipzig. Un colega simpatizante con la izquierda le había proporcionado una copia muy borrosa a Martin, sabiendo que la esposa del profesor venía de Guatemala. Los certificados universitarios daban cuenta de un Payeras disciplinado, listo, crítico en las discusiones, hábil en la argumentación, merecedor de buenas notas. Se elogiaba su habilidad con el idioma alemán. Pero también, en ese expediente se dejaba constancia de una falta, contada con la precisión inquisidora comunista, una falta que determina finalmente la expulsión y la partida de Payeras. Una noche invernal de 1968 cuatro estudiantes latinoamericanos, incluido Payeras, se emborrachan, lanzan botellas en la residencia estudiantil, espantan a otros estudiantes con el bullicio, especialmente a una mujer que, del miedo, pierde el conocimiento. Los estudiantes aceptan la falta, se arrepienten, pero entonces lo personal también deviene en lo político. Regina recuerda una carta redactada en máquina de escribir, en donde Humberto Banderas y Mario Payeras, los estudiantes sancionados, comunicaban que dejaban Alemania porque la línea política del Partido Socialista Unificado difería de los partidos latinoamericanos comunistas. Y en un pasaje, ambos estudiantes establecían una frontera, dos zonas irreconciliables, algo así como aquí *en la DDR reina la paz, se respetan los derechos de los trabajadores, aquí gozan los estudiantes de las oportunidades de formarse, mientras en nuestros países reina la mezquindad, la inseguridad, la guerra civil, por ello algunos de nosotros aquí no podemos vivir con la conciencia tranquila, no tenemos la estabilidad emocional y por tanto nuestro comportamiento no puede ser ejem-*

plar. La carta terminaba con un nuevo arrepentimiento por lo ocurrido. Regina recuerda que Martin ironizó sobre la ingenuidad del elogio a la República Democrática Alemana proferido por Payeras, mientras ella pensaba en las emociones devastadas por el lugar donde se nace. En 1984, eso ya no alcanza a constar en el expediente, Mario Payeras rompe con su organización guerrillera, el Ejército Guerrillero de los Pobres, por graves diferencias éticas y políticas. Supone Regina que el poeta guerrillero escribió otra carta.

Regina vuelve al poema, respira la naturaleza muerta del invierno, imagina la residencia estudiantil, los estudiantes latinoamericanos, la mujer lastimada por el vidrio quebrado en la borrachera. El oído de Regina se estremece. Vulnerabilidad emocional de la generación de la guerra, se dice a sí misma y decide que contactará a Alberto, sería una descortesía no hacerlo. Decide también que comprará el libro de poesías de Payeras. Ella quiere creer que es posible todavía volver a ver las aves que vienen de Senegal y, en medio de la nieve y a pesar de sus ruinas, prometer. Ya lo dice el poema, te daría un planeta de océanos infinitos.

VOLVER A LA UNIVERSIDAD, PRIMERA PARTE

Le contaron que la universidad había parecido un inmueble abandonado. La arena que caía de los techos con cada remolino de viento había sepultado los rosales y las gardenias de los jardines. Cuando Claudia entró en su oficina, sintió un olor similar al que despedían los leños quemados de la chimenea en la casa victoriana de los Pradell. Pero más que ese olor, Claudia percibe la tensión alrededor como mal augurio.

El decano ha pedido encontrarse con ella. Claudia entra en la oficina. Está familiarizada con la técnica del poder del decano, decir pase adelante sin voltear a ver a quien entra. Saluda, pero no desprende la mirada de la computadora. Se toma un par de minutos, empuja la silla hacia el frente del escritorio y comunica a Claudia que varios asuntos están retardados. Ya hay quejas sobre proyectos que no salen en el tiempo estipulado porque ella no responde correos y últimamente se ausenta de reuniones. Claudia piensa para sí misma que por los correos y las reuniones, por ellos, hace años no avanzan las cosas como debieran. Evita confrontar al decano.

Estuve enferma.

Claudita, así me informaron, pero mire, la universidad no se puede detener.

Siempre le han disgustado a Claudia los diminutivos del decano para dirigirse a las mujeres y no entiende cómo todas, incluyéndose, se lo han permitido hasta ahora. Mientras el decano precisa las urgencias, ella recorre mentalmente las palabras formulario, reunión, llamada, listado, correo electrónico, objetivos estratégicos, formatos de evaluación, fondos de terceros. Son las palabras-obstáculo que han interrumpido su vocación académica. Claudia se deja llevar por el instinto.

He estado pensando una idea. ¿Tiene tiempo para escucharla?

Tengo los minutos contados, pero cuente.

El observatorio político de la facultad se ha estancado en la nada. ¿No le parece que ya no dialogamos, que las palabras se agotaron? Necesitamos una pausa, otra dinámica. Por qué no tejer en las próximas reuniones. El tejido y el texto tienen mucho en común, más de lo que parece.

Claudita, pero qué me está diciendo, si estamos en la universidad, por favor, no en un taller de arte y confección. ¿Qué le pasa?

No ha entendido. Estamos en un país en donde los tejidos han sido narrativas importantes, sería una buena experiencia intentar otra manera de reflexionar.

Mire, Claudia, creo que las reuniones están bien como están. Y no voy a poner a los catedráticos a tejer, pues.

¿Por qué no?

Porque no, Claudia. Tantos estudios para acabar así, como costureras.

El diminutivo ha desaparecido porque el decano lo deja de usar cuando se enoja. Claudia sale de allí con ganas de renunciar.

El decano lo mismo podría fungir como administrador de una maquila o de una cadena de restaurantes. A Claudia le cuesta reconocer alguna curiosidad intelectual en ese hombre que se presenta a sí mismo en su cuenta de Twitter como guatemalteco, analista político, padre, esposo y buen ciudadano.

Claudia decide que intentará su experimento con los alumnos. Postergará el tema que corresponde a la clase de aquel día y titulará la nueva versión, tejer, una forma de hacer política. Tiene unas horas para hacerlo y olvidarse de la tiranía de las evaluaciones del curso. Empieza con la declaración de Cecilia Vicuña, un tejido no es otra cosa que un texto, y a partir de allí yuxtapone imágenes y experiencias, los tintes de cochinilla en la Mesoamérica prehispánica, el valor simbólico del rojo en esas culturas, y la idea de Guamán Poma sobre cómo el mundo atravesaba por distintas edades de acuerdo con los materiales utilizados para los atuendos, y así hablar también del imperio, de la Capitanía General de Guatemala, pobre en oro y plata, y por ello convertida en zona proveedora del añil y de la grana que teñirían de azul y rojo las telas europeas. Pero, nos recuerda Sandra Monterroso, con sus experimentos en tintes, que el azul maya ya existía antes de los españoles y ella lo recupera en el performance "Las heridas también pueden teñirse de azul", porque las telas azuladas la amortajan en escenas oníricas de orígenes ancestrales usurpados, ese azul extraído del xiquilite, del cual en la época colonial el Marqués de Aycinena era el dueño de grandes fincas, producía la sexta parte del añil del Reino de Guatemala y, como hoy los grandes empresarios, se negaba a pagar impuestos a la Sociedad de Cosecheros porque su modelo de otrora perdura, todo para mí, el Estado no existe, como tampoco cuenta para los inversionistas extranjeros, los coreanos, que otean con ojo maltratador las grandes galeras acaloradas, donde mujeres de extracción popular pegan mangas a camisas, ensamblan bolsas de pantalones, cosen etiquetas *made in Guatemala*, en horarios de sol a sol, aguantando el hambre y las ganas de orinar, porque las maquilas significan beneficios rápidos, trabajo deslocalizado, extracción de fuerzas. De ello lo saben, sí, y muy bien, las mujeres indígenas, con sus luchas colectivas por una ley de protección intelectual a sus tejidos, que también son luchas por un ingreso más digno, por una mayor conciencia del trabajo frente al telar. Una camisa blanca cierra la reflexión de Claudia. La camisa de Jacobo Arbenz que los mercenarios le obligan a desabrocharse en el aeropuerto para confirmar, como fascistas que eran, que caída la Revolución de Octubre, el presidente democráticamente electo no se llevaba nada del país. Lo desnudaron, nos dejaron desnudos de proyectos de futuro y, por eso, los jóvenes de la posmemoria el 20 de octubre de 2014 se visten con otras camisas blancas, y se suben a tejados, se meten en cuartos, salen a las calles y, con el pecho descubierto, levantan la mirada al horizonte. Replican el despojo, pero también el cuerpo digno.

Claudia hace una pausa. Respira. Puntualiza los créditos de la foto, idea original de Martín Díaz Valdez, fotografías de Alejandro Anzueto, indica el enlace respectivo,

Luego, saca de su bolsa las telas, el hilo y las agujas que había rescatado de su caja de galletas, agarra un par de libros, el borrador y el marcador para pizarra, y con ese cargamento, pide a los estudiantes que formen un círculo con las sillas. Rechinan los pisos mientras ella reparte a cada uno los materiales de esta clase. Pide que cada quien borde la primera letra de una palabra que condense la historia política del país. Los estudiantes se ríen.

¿Doctora, así bordar bordar?

Claudia afirma que sí, tal como lo oyeron, y pregunta quién sabe bordar. Los estudiantes varones se observan y ríen. Las compañeras de estudio los ven con gracia, la mayoría de ellas llevó educación para el hogar en la secundaria y, mal que bien, saben tomar una aguja. Claudia se entera de que los varones tampoco pueden hacer un ruedo o pegar un botón.

No puede ser, vamos a empezar por allí.

Claudia se acerca a ellos y les enseña cómo enhebrar una aguja, el doble nudo al final del hilo y las puntadas de un lado por el otro de la tela. Poco a poco, la clase deja el jolgorio y las manos se mueven rítmicamente mientras se comenta la aventura de una aguja punzante y a veces rebelde. La dificultad de la simetría. Las jóvenes avanzan en la letra, los jóvenes progresan en el ruedo. Apenas si se percatan de que ha terminado la clase cuando el profesor del siguiente periodo se asoma a la puerta y señala la tardanza.

VOLVER A LA UNIVERSIDAD, SEGUNDA PARTE

Claudia se dirige al edificio L, donde está la oficina de Rosa. La encuentra atareada. Esto es de no parar, le dice, mientras Claudia cierra la puerta. Rosa se prepara para la comunicación en voz baja, pues supone que se trata de un chisme de la universidad. Claudia se siente en un escenario, como si fuera a pronunciar un parlamento aprendido de memoria frente al espejo. No entra en detalles de su historia, no lo cree necesario, sino esculpe un habla con eufemismos, conducta inapropiada, abuso de poder, a mí me pasó. La neutralidad del lenguaje le permite avanzar a Claudia, desvestir con mano hábil el doble perfil de Alberto Rivera.

No puedo creerlo, contesta Rosa porque es difícil imaginar que este profesor culto, popular con los estudiantes, de palabra convincente, activista, sea un abusador. Rosa toca a Claudia, la piel de Claudia se achina. Rosa acaricia el brazo de Claudia que se eriza como zacate despeinado por el viento. Claudia frunce los labios tratando de recordar la última vez que fue tocada y tropieza varias veces sin poder ubicar el tiempo y el lugar, y se dice cuán fácil es blindarse, poner losas de hierro que ahuyenten a los que se quiere. Pero algo disgusta a Claudia cuando Rosa le pregunta qué piensa hacer. Porque algo tenés qué hacer, reitera Rosa, y Claudia se exaspera por el peso de la elección moral que se impone a la víctima. Además de todo, a ella, después de tantos años, le correspondía satisfacer las aspiraciones más éticas de la gente querida. Ella solo desea pasar página, pero no sabe cómo.

Ese día Claudia es la última en salir de la universidad. Está oscuro, un vigilante la saluda cuando ella se dirige al parqueo. Claudia observa el edificio central, entre la naciente niebla, imagen que le recuerda a Claudia el hongo atómico. Gérard contó que una guerra nuclear fue el miedo con el que creció en Alemania antes de que el muro cayera. No recordaba Gérard en su relato el nombre de Petra Kelly, nombre que Claudia escuchó por vez primera de la profesora que había dirigido su tesis doctoral. Esa noche, ya en el apartamento, Claudia vuelve al hilo biográfico de Kelly, mujer de grandes ojeras y mirada lapidaria. Sus luchas por el medio ambiente, su provocación ante el sistema capitalista y su asesinato en 1992 por un disparo cuando dormía. Aparentemente su pareja, el también político del partido verde, Gerd Bastian, había apretado el gatillo para después suicidarse. Esta muerte dejó una gran interrogante sobre la voluntad o no voluntad de Kelly de morir. Claudia contempla la niebla densa que ya ha tomado la ciudad y se pregunta cómo fue el último roce de piel entre estos amantes, si supo ella de la decisión macabra, y, a medida que los imagina uno contra el otro, en la misma cama, sus manos caminan hacia su propio cuerpo, se tienta, desliza sus manos en la entrepierna, toma el tiempo debido, sus dedos son solícitos y van y vienen inventando memorias de dicha, no hay aguja ni hilo ni escritura, solamente una corriente tibia, otra niebla que la exilia del mundo.

PROFESOR

A medida que el profesor, el colega reencontrado, bebía sorbos de café y le platicaba de sus estudiantes, de nuevos conceptos pensados, de la necesidad de otras metodologías, de su voluntad por ir preparando en unos años el retorno, a medida que los ojos del profesor no podían quedar en reposo y cualquier estímulo lo distraía, a medida que el profesor se quejaba de un mercado académico enfocado en lo políticamente correcto, a medida que el profesor hablaba de su reciente paternidad y aclaraba que lo había hecho por su pareja considerablemente más joven que él, a medida que el profesor se ufanaba de su presencia en las redes sociales, en donde posiblemente había más libertad de discutir que en el claustro universitario, a medida que Regina solo escuchaba, ella quiso alejarse, aturdida por la vanidad y los soliloquios de Alberto. Notó Regina que el hombre frente a ella forjaba su discurso a partir de la hipérbole. Cualquier autor era el más grande de la literatura, Guatemala era mi patria amada, el colega mi queridísimo hermano, las reacciones positivas a su libro, abrumado estoy de tanto afecto de la gente. Podría levantarse en ese momento Regina y si le preguntaran a Alberto con quién había estado la media hora precedente, no podría articular una información de la mujer que no era interlocutora, ni colega, sino la oyente pasiva de la exageración. A punto estaba Alberto de pedir un café, cuando ella se inventa la excusa de que debe encontrarse con Gérard para resolver unos asuntos. El nombre del hijo incita finalmente una pregunta.

¿Le pusieron ese nombre por tu pareja que era extranjera o tenés ascendentes europeos?

Por el padre, de origen catalán. Mi familia es capitalina.

¿Cuál es tu apellido? Porque usabas el alemán.

Sí, por práctico. Mi apellido es Salguero.

Alberto se calla por un momento, retiene ese apellido y su memoria se despenica en las ondas sonoras de la radio.

Salgueros hay muchos, pero a mí me recuerda uno, y no sé si sos familiar, me refiero al locutor en los ochenta. Era fabuloso.

Sorprendida por la referencia, ella explica que era su padre. Entonces, Alberto archiva momentáneamente el ego y lanza preguntas sobre Juan Salguero, cómo era, cómo se había iniciado en el periodismo, y se lamenta por la muerte temprana.

Una pena, se fue tan pronto.

Podía imaginar Regina, antes de este encuentro, alguna afinidad con Alberto en la literatura o en alguna remembranza de colegas comunes, incluso anécdotas sobre los recodos oscuros de la academia, pero difícilmente el padre podía haber emergido como tema probable. Y aunque el reconocimiento postrero, muy especialmente el reconocimiento que sobrevive a las décadas, muy especialmente en un país sin memoria, inyecta autoestima y simpatía, Regina no habla sobre su padre. Piensa que sería como abrir un candado y dejar entrar a la pieza a un desconocido que juzgaría costumbres y habitantes y, previsiblemente luego, se jactaría de lo visto desde la superioridad del antropólogo frente al informante nativo. No, no quería contarle de su padre, menos los antecedentes de su muerte.

Regina desvía la conversación antes de pagar la cuenta, porque el profesor no trae encima la tarjeta de crédito, excusándose de las múltiples tareas que lo abruman (como a todos, pensó ella), y entonces ella menciona que la novia de su hijo trabaja en la universidad, en la Facultad de Ciencias Políticas y Sociales.

¿Ah sí, y cómo se llama?

Claudia Bran.

El profesor se queda callado. Mueve el plato de la taza, de izquierda a derecha. No dice si la conoce o no la conoce y a Regina le irrita perder más tiempo en ese lugar. El profesor se pone de pie para despedirse, le dice que ha sido un gusto inmenso volverla a ver, que deben repetir el encuentro, que es reconfortante encontrarse con alguien del mismo nivel que entiende lo que pasa en el país y en las universidades, y que ha sido un honor haber estado con la hija de Salguero. Regina se dirige a la salida del café y oye desde lejos la voz del profesor.

¿Y están grabados los programas de tu papá?

Ella se da la vuelta y dice no saber.

PESADILLA

Frente al Consejo de Administración de Ejidos, Andrés expone con detalles el plan de investigaciones para el año venidero. Gérard no pone atención, revisa su correo, va y viene en la red como coleccionador de información estéril, hasta que Andrés pronuncia Kassel. Gérard visitó esa ciudad alemana en un verano muy caluroso acompañando a Regina y Martin a la Documenta. Martin sudaba de la frente, Regina bebía agua sin parar y Gérard comía helados mientras hacían fila y esperaban a los distintos pabellones. Andrés habla de un artista guatemalteco que llegó allí con un sicario, lo colocó detrás de una cortina, formulándole preguntas inquietantes, por ejemplo dice Andrés, ¿tienes pesadillas con la gente que matas?, ¿qué sientes al matar? Mientras tanto, un sicario también contactado previamente por el artista, y que no fue elegido para el viaje, extorsiona en Guatemala a la familia del artista, Aníbal López, y esta termina escondida en un cuarto del Pasaje Rubio en el centro de la ciudad. Andrés propone una investigación sobre el sicariato en Guatemala, sus redes y sus *modus operandi*. Andrés consiguió la atención de Gérard con la referencia de la obra de Aníbal López en Kassel.

Gérard aprueba, con los demás miembros del Consejo, esa investigación y, al final de la reunión, se acerca a Andrés. Quiere averiguar cómo se planifica una ejecución. Andrés cree que Gérard está bajo efectos de drogas.

¿Cómo así, mano?

Sí, cómo se hace para quebrarle la jeta a un desgraciado.

Qué putas voy a saber.

Sos periodista.

Sí, pero no matón.

Gérard sale de la redacción de Ejidos con una desazón en la garganta. Manda un mensaje a Claudia, le recuerda que debe echar el *spray* antimoho. Este mensaje lo descodifica Claudia en dos pulsiones, te quiero ver, tengo miedo.

Esa noche Claudia habla pausadamente. Enumera situaciones. Profundiza en sus razones. Ruega entendimiento y paciencia. Aclara que el amor permanece. Defiende el alejamiento por unos días. Habla de recuperar energía, sobre la necesidad de un plan nuevo. Sabe el costo de esta pausa. Se siente desorientada. Gérard escucha esta vez como practicante de meditación Zen. No opina hasta el final de la larga intervención de Claudia. Puede entender todo, pero hay algo que le parece inaceptable, alejarlo a él en este momento, porque entonces puede ser que algo grande aquí ha fallado, dijo. En el ambiente se respira espectro, aparición.

Gérard saca de una bolsa el *spray* antimoho y lo deja en la mesa de la sala. Brevemente le explica a Claudia cómo aplicarlo y advierte de un olor desagradable en las primeras horas.

El tráfico todavía es pesado cuando Gérard deja el apartamento. Le sobresalta una mujer que atraviesa la calle a la brava, como retando a la muerte. Tiene el impulso de increpar la imprudencia, pero no articula palabra. Las luces de los carros lo marean.

Gérard encuentra a Regina cenando sola frente a un plato de hongos gratinados. Rechaza el ofrecimiento a probarlos. Recuerda las manchas verdes en las paredes. Se sirve un poco de agua porque siente la garganta ácida. Regina le cuenta que se encontró con un profesor vanidoso. Gérard contesta que todos los profesores lo son. Regina pregunta si prepara algo para él, pero Gérard tiene el estómago revuelto, solo quiere dormir.

Para matar un poco el silencio, Regina pone el *jazz* de Diana Krall. Toma una foto de su plato y se la manda a Andrés. Este la considera demasiado Instagram, no obstante envía un emoji con la lengua de fuera. Gérard ya duerme, pero mal. Sueña con hongos gigantes en un bosque, tipos que se esconden detrás de ellos, un artista que corre desnudo en una calle que puede ser Kassel, una mujer que se ha vuelto intocable.

BREVE MENSAJE

El teléfono interrumpe el duermevela de Claudia. Sobre tu huipil. Por el fondo blanco y los tz'unun de colores rojos y verde, puede ser de Tamahú. Además es de tres piezas, lo usual es que la del centro sea roja, la tuya disiente por el blanco. Parece que los tz´unun también aparecen en los huipiles de matrimonio, tienen que ver con el amor a la pareja. Que durmás bien, Rosa.

Claudia se sienta en la cama. Saca la foto mutilada. Se toca la piel. En 1984, vistió un huipil de Tamahú, que no sabe dónde queda, como tampoco qué significa tz´unun. Se pone a buscar en la red. Tamahú queda en Alta Verapaz, forma parte del corredor seco, es decir, la zona que ha sufrido sequías desde 2008. Sin embargo, en el siglo XIX el destino de Tamahú, eso lee Claudia, estuvo ligado a la familia alemana Thomae. Gracias a las ventajas otorgadas por la Reforma Liberal a los colonos alemanes, Mauricio Thomae adquirió las fincas Comijá en 1897 y Rocjá en 1902. Este dominio se consolidó con el gobierno de Jorge Ubico. El topónimo Tamahú alude a un pájaro cautivo entre montañas y cerros.

Tz´unun, esa palabra sonora que obliga a cerrar la boca como un pico en alza, quiere decir colibrí. Y su importancia radica en ser uno de los principales polinizadores en las zonas altas y frías, como Alta Verapaz, donde los murciélagos y los insectos no se encuentran. En las culturas mesoamericanas, lee Claudia, los colibrís eran portadores de mensajes cifrados de los dioses. Una leyenda le llama particularmente la atención. Una vez creados los animales, las plantas y los seres humanos, los dioses se percataron de que les faltaba crear un ser que llevara los pensamientos de un lugar a otro. Entonces, tomaron una piedra de jade muy fina, la tallaron con una flecha afilada, soplaron sobre ella y salió volando un colibrí.

MONJA, A AGARRAR CAMINO

El primer reportaje que había escrito Andrés en su carrera como periodista versó sobre monjas de clausura. Acababa de llegar a la redacción del periódico, y considerando que la Semana Santa se acercaba, el editor jefe le encargó escribir sobre la espiritualidad y los modos de vida en el aislamiento, con la indicación de entrevistar a la madre abadesa de las monjas clarisas. Andrés se decepcionó al recibir el encargo, pues ansiaba estrenarse con un tema de actualidad que generara controversia. Imaginó a ancianas beatas leyendo el texto que le tocaba escribir.

Desde la llegada al convento de las monjas clarisas en Puerta Parada, Andrés descendió en un silencio incómodo. Tocó el timbre, una voz femenina respondió paz y bien hermano, él se presentó como Andrés el periodista y la puerta fue abierta automáticamente. Al entrar, detrás de un vidrio polarizado, la misma voz femenina le dio la bienvenida, le advirtió que no podía ingresar cámaras, y que, después de la portería en donde se encontraba, iba a ver un corredor, en cuyo fondo estaba el locutorio.

Él siguió las instrucciones. Mientras avanzaba, recordó el convento de Capuchinas de la Antigua, sus excursiones como escolar y las bromas sobre una monja sin cabeza que se aparecía en la torre de retiro. Andrés arribó a una sala bastante oscura en cuyo fondo, tras una reja maciza de hierro forjado, pudo ver la silueta de Sor Abelarda. La plática se entabló entre esa sombra negra y Andrés, en desventaja por la luz que delataba sus facciones. La monja resultó ser una mujer de habla pausada, con un lejano acento italiano y unas manos gruesas con las que fácilmente podría haber ganado un pulso al periodista. Los ojos se fueron acostumbrando a la oscuridad y Andrés entrevió una mujer que sonreía cuando hablaba y jugaba con el cordón que caía desde la cintura sobre el hábito.

El cordón tiene tres nudos, que simbolizan nuestros votos, castidad, obediencia y pobreza, aclaró la religiosa.

Andrés formuló preguntas generales sobre la vida dentro del convento, sobre el sentido del asumir una existencia en el encierro.

No estamos encerradas, sino con una libertad total a la voluntad de Cristo, había corregido Sor Abelarda, quien explicó que oraban para interceder por problemas de la gente, y así se unían al mundo. Agregó que la disciplina, la oración y la vida contemplativa la llevaban con gozo. De pronto, la monja se salió del guion de Andrés y lo piropeó por los ojos negros que tenía.

Me dan ganas de agarrarlos, confesó la religiosa con un tono emocionado.

Andrés parecía haber adoptado el voto de silencio, mientras la religiosa se extendía contando sus gustos personales, comer manjar, jugar a las adivinanzas y bañarse todas las madrugadas con agua fría.

¿Le gustan a usted los dulces?, fue la penúltima pregunta de Sor Abelarda.

Andrés contestó que no, solamente la quesadilla que se come en Zacapa.

La monja articuló entonces una petición, si podía tocarle las manos a Andrés, quien sin pronunciar palabra extendió la mano derecha, como si la monja fuera a leer su futuro. Ella se acercó a la reja y tomó la mano con las propias. Acarició lenta y profusamente los dedos gélidos de Andrés, quien después de unos segundos de parálisis, se puso de pie, diciendo que ya tenía la información suficiente, mientras la monja reía.

Andrés salió del convento desconcertado. Fue directamente a la tienda más cercana, en donde sonaba una canción de Los Tigres del Norte. La música lo extrajo del silencio monástico. Andrés pidió una Coca-Cola porque se le había bajado el azúcar.

El reportaje con el cual Andrés se estrenó en el periódico resultó mediocre. La voz de la monja se interponía en las palabras del reportero. El jefe editor apostilló que había esperado algo mejor. Pasada la Semana Santa, la secretaria del periódico le entregó a Andrés una caja blanca con un lazo café que habían dejado para él en la recepción. Andrés abrió la caja, encontró una quesadilla y la receta copiada a mano. Imaginó a Sor Abelarda amasando la harina con esas manos tibias y regordetas que también escribían recetas y se deslizaban como lenguas en la piel de los visitantes. Dejó que sus compañeros de trabajo se comieran la quesadilla, la cual fue aprobada por unanimidad. Él no pudo tragar bocado.

Andrés trae a la memoria esa historia cuando Regina le escribe que probó la receta que dejó el día de la cena y comenta la buena consistencia de la masa. Le adjunta una foto. Andrés reconoce que Regina le gusta. No deja de pensar en ella. La intuición le dicta que en esta ciudad, cerca de Gérard y Claudia, en medio del trajín que como periodista lleva, con la extrañeza de

108

una mujer que retorna a la tierra, las posibilidades de conocerse son bajas. Escribe a Gérard que irá a Alta Verapaz para empezar el reportaje sobre la familia de Fritz, antes se desviará al oriente, a Zacapa, su tierra.

Andrés toma el teléfono y le propone a Regina un viaje corto hacia el nororiente del país. Ella se sienta en una de las cajas que llenan la sala del nuevo apartamento. Acepta.

RUTA AL ORIENTE

Después de comentar el luminoso amanecer y el ambiente tenso que vive el país, Regina advierte que se marea en los viajes largos, especialmente cuando se trata de curvas. Indica que pronto entrará en un sopor por el efecto del dramamine. Andrés menosprecia la indicación y, hasta el restaurante de El Rancho en donde beben un café, el periodista cree que Regina exagera. Sin embargo, a medida que toman de nuevo la carretera y la tierra se torna colorada y el vaho se cuela en la pequeña ranura de una ventana que no cierra del todo bien, Andrés se percata de que Regina se ha dormido. La respiración honda y rítmica de la acompañante es el único sonido en ese carro.

Andrés desiste de poner la radio para no perturbar el sueño de Regina, y se deja llevar por las imágenes intermitentes del paisaje oriental y de los camiones que a toda velocidad azuzan del lado contrario, con cargas variopintas de piñas, melones, cobre, cemento, reses y cocaína. A medida que dejan el departamento El Progreso, Andrés y Regina atraviesan la frontera hacia el territorio de la infancia del periodista, que según Matilde González-Izás es también el territorio de las contiendas políticas que determinaron el curso de la historia del estado de Guatemala en el siglo XX. Afirma la socióloga –en eso piensa Andrés acompañado por la respiración durmiente de Regina– que muy tempraneramente el nororiente se configura como una zona estratégica para los circuitos de comercio trasatlántico y transfronterizo entre Guatemala, El Salvador y Honduras. El hilo conductor de las luchas y pasiones de esta zona, desde la Colonia a la posguerra, ha sido la conservación. Es en el pequeño poblado de Mataquescuintla, en donde el caudillo Rafael Carrera, extraficante de cerdos y peón de finca, encuentra el apoyo campesino para rebelarse contra la laicidad, el espíritu ilustrado y la liberalización de la compra y venta de tierras impulsadas por el gobierno de Mariano Gálvez. Más tarde, en 1954, continúa González-Izás, en el nororiente del país se juega la batalla simbólica y definitiva en contra del experimento más modernizador del siglo XX en Guatemala: la revolución de octubre de 1944. A través de las montañas, bajando por los pastizales y los poblados de Zacapa, Chiquimula e Izabal, las huestes del coronel Castillo Armas avanzan hacia la capital, asesoradas por la inteligencia estadounidense y amparadas por el Cristo de Esquipulas, haciendo resonar en el eco del viento y el silencio de los fusilados, muera el comunismo. Más temprano que tarde, cerrados los espacios democráticos, la lucha militar y paramilitar contra los primeros focos guerrilleros ensaya en las montañas orientales una aniquilación que sería luego aplicada en otros tiempos-lugares durante el conflicto armado. El Chacal de Oriente, el Jaguar Justiciero, la Mano Blanca, Ojo por Ojo nombran la ejecución rápida y clandestina, el blanco selectivo. El nororiente, piensa Andrés, se extiende como un horizonte herido, un largo corredor que no va a ninguna parte, en cuyas veredas las empresas agrícolas cultivan con las aguas abundantes de La Fragua mientras los niños con panzas hinchadas o con pelos caídos des-crecen, tal vez caen, antes de que un médico pueda certificar marasmo o *kwashiorkor*. Los científicos sociales agregan al corredor seco o del hambre, uno segundo, el de la droga, hábilmente edificado palmo de tierra tras palmo de tierra, bolsa encima de bolsa, cadáver apeado entre otros cadáveres, por los capos de la guerra, los militares controladores de aduanas, los traficantes transnacionales, los ganadores de siempre.

Un camión rebasa imprudentemente, Andrés gira hacia el bordillo y la cabeza de Regina topa con la ventanilla. Se despierta.

¿Repuesta de la pastilla?, comenta Andrés ante una Regina que se despereza con ganas de salir al calor. Andrés conoce un comedor un par de kilómetros más adelante, ya se acercan a la mitad del camino. La especialidad del lugar, cuenta Andrés, es el caldo de mariscos. Regina duda si es buena idea un caldo con 32 grados a la sombra, pero accede a instalarse en una mesa bajo un árbol de nance, cerca un grupo de hombres ataviados con sombreros de paja y una pareja, muy joven, que juega con sus manos entrelazadas, con ese amor improvisado que no conoce todavía de pruebas.

Alrededor no se mueve ni una hoja. Una iguana saca la lengua desde el rincón del patio.

Regina se cambia los tenis por unas sandalias y se pone anteojos oscuros. A cien y pico kilómetros de la capital, ella se interna en un perímetro desconocido, se desvincula de la imagen turística del país con la que fue identificada cuando decía soy guatemalteca, ya fueran los mercados del altiplano o las crestas de las ruinas mayas sobre la jungla del Petén. Regina supone que, al llegar a este punto desconocido, alguna colega alemana haría lo mismo que ella hace en este momento, romantizar el oriente. Porque, frecuentemente, los profesores europeos, reproducían la misma romantización que ellos criticaban en los libros que escribían. Eran coloniales cuando escribían teoría decolonial. Los hombres y las mujeres de Latinoamérica, en el fondo, les parecían seres exóticos, y por lo tanto, estudiantes y colegas visitantes constituían, unas veces más otras veces menos, objetos de contemplación y estudio. Nunca interlocutores al mismo nivel. En ocasiones, lo mismo sucedía con Martin. En él piensa furtivamente Regina mientras estira las piernas y observa los nances que cuelgan de las ramas. Andrés se pone de pie, estira el brazo y corta un fruto para ella.

Está en el punto, diagnostica el periodista, percatándose del rostro sudado de Regina. Le alcanza una toalla de papel y le propone desviarse del camino, tienen todavía la tarde y cerca de Río Hondo está el balneario Pasabien. Ella aprueba la idea liberándose de los planes rígidos y la culpa por el trabajo pendiente que la acompañó por años. La mesera trae los platos hondos humeantes y Regina sueña ya con el agua fresca de la posa. Pedirá a Andrés que la deje manejar en el trayecto a Pasabien para evitar la pastilla del mareo y asumir el control sobre un paisaje que ella había olvidado. No puede resistir en el camino comentar la contigüidad entre cocotales y viñedos. Las uvas, le explica Andrés, representan en los últimos años un producto creciente de exportación.

Regina apaga el motor al llegar al estacionamiento del balneario y entrega las llaves a Andrés. Salen en busca de los vestidores. Se cambian rápidamente y avanzan hacia la poza. Las escaleras están húmedas, ambos descienden con cuidado y, al llegar a las rocas próximas al agua, se zambullen al unísono. Se sacan el sudor del camino mientras, de fondo, las cataratas no dejan de hablar.

Regina se limpia las ojeras que imagina de mapache, por el rímel que se ha corrido entre agua y sudor, mientras Andrés se fija en las manos de ella, atravesadas por venas salientes. Regina cree que Andrés ha notado las leves curvaturas de los dedos que, en algún momento, ella espera, en mucho tiempo todavía, se vuelvan los ganchos saltones de una artritis consumada. Él desmiente esa hipótesis. Y le cuenta a Regina la anécdota de las manos de la monja. Los dos estallan en risas. En el agua que todo se revuelve, las preguntas salen a flote. Andrés la interroga sobre la partida de Guatemala, sobre la vida en Alemania.

Quería estar con Martin y borrar el 1984.

¿Un año tan malo?

Bastante.

El año de la vigilancia, según Orwell.

Así es, un año de ingrata vigilancia.

El calor empieza a ceder y, antes de salir del agua, es el turno de Regina.

¿Cómo es trabajar con mi hijo?

Andrés se queda pensativo.

Difícil, pero él es hábil y eso ayuda al negocio.

Retoman el camino con la última luz de la tarde y, esta vez, Regina dosifica mejor la pastilla contra el mareo, la parte en cuatro cuartos. Andrés conecta su iPhone al carro y pone la música de Jackson Browne, de la cual Regina es ajena, no obstante que algunas canciones como "Somebody's Baby", "Lawers in Love" o "Lives in the Balance" sonaron con fuerza en la década de los ochenta. Andrés relata a Regina que Browne nació por accidente en Heidelberg, pues su padre estaba destinado como soldado y periodista de un periódico estadounidense en los años de la posguerra. Le indica a Regina que la canción que viene fue una denuncia de la política de Reagan en Centroamérica, con aquellos versos sobre hombres en la oscuridad que venden la guerra como venden cualquier cosa, una y otra vez, porque no son quienes luchan o mueren. Regina escucha el estribillo.

But they're never the ones to fight or to die
And there are lives in the balance
There are people under fire
There are children at the cannons
And there is blood on the wire

A través de la ventanilla, el sol cae como bola de fuego. Regina explica a Andrés que le resulta raro escuchar canciones de esa época, porque una otitis mal cuidada la había dejado un poco sorda y le había tomado tiempo recuperar la audición.

Después me fui y aprender el alemán me consumió.

La *playlist* sigue. Andrés parece el habitante adulto de los ochenta y Regina la niña que acababa de nacer en esa década.

Llegan al hotel donde se hospedarán. Ambos están cansados, un poco perdidos. Piden habitaciones separadas. Regina ansía lavarse el pelo, limpiarse la arena de la poza. Andrés no sabe bien qué quiere, como cuando de niño regresaba de la feria del pueblo, y las luces de la rueda de Chicago todavía daban vueltas en su cabeza y no sabía explicar a su mamá si tenía hambre o sueño, pensando ya en la próxima excursión.

TIERRA MASCULINA

La estancia en la cabecera departamental de Zacapa dura una jornada. Es una ciudad comercial con mucho ruido y con mucha luz, escribe Regina a una amiga alemana que la ha contactado para saber si el regreso se asoma como posibilidad. Andrés fue a recoger unas llaves, a pocos metros del parque. Quiere visitar la casa de su infancia. Regina da vueltas en la plaza y, como turista sin otro oficio más que observar, sigue el ir y venir de vendedoras con canastos en la cabeza, lustradores de zapatos, hombres con camisa a cuadros y sombreros tejanos. Desfilan personajes sacados de algún corrido mexicano, con anteojos oscuros de marca y pistola en los costados. Regina disimuladamente toma fotografías, se respira testosterona en ese parque. El ruido de los escapes de las motos la empujan a caminar hacia el atrio de la catedral. En el trayecto se va imponiendo el rumor de las ventas. Un ritmo olvidado de ofrecimientos la hacen cerrar los ojos por un momento, la arrastran suavemente al quiere quesadillas doñita, hay jocotes mamita, a cinco la bolsa madre, lleve pasa ciruela, a billete los dulces, naranja agria para las penas.

Andrés divisa a Regina y está tentado de compararla con la opulencia de las frutas, pero rectifica. No quiere ser cursi. Con una consonante s que se ha fugado de su lengua y una j impuesta al final de la palabra, el periodista anuncia que van a la asociación de contadores de cuentos y anécdotas de Zacapa, en donde a diferencia de las calles la tranquilidad rige. Atraviesan el patio bajo la sombra de un árbol de mangos y siguen por un corredor amplio. Andrés saluda al bibliotecario, fue su profesor de idioma español en la escuela. Ambos rememoran los tiempos en que el periodista compartía aula con compañeros que serían después comerciantes, empleados de banco o sicarios de narcos. Regina escucha la conversación y comenta en voz alta, qué difícil hacerse hombre aquí. Difícil hacerse lo que sea, replica Andrés.

Los años escolares le parecen lejanos y peligrosos en ese medio día, cuando Regina se ausenta unas horas para hacer una siesta en el hotel. Andrés considera una falsedad la añoranza por la escuela. Le incomodan los suspiros colectivos que se tragan las miserias de los recreos. Huye de los abrazos teatrales entre exalumnos que se odiaron. Porque Andrés tiene bien presente el quinto grado de primaria y el juego a la muñeca. Vistieron a la fuerza a Lorenzo. Entre diez o doce que se habían quedado en el aula castigados en el recreo. Uno tuvo la destreza de bajarle el calzoncillo, mientras otros dos le metieron la falda robada a una hermana. Le pintaron la boca, le gritaron ya sho para que parara de llorar. Lo forzaron a bailar. Le tocaban las piernas. Alguno lo besó cuando las voces agalladas gritaban metésela metésela. Andrés observaba. Le temblaban las piernas, lo recuerda. Después de Lorenzo, seguía él, por raro. Porque raro era quien leía libros, quien se negaba a quebrarle la cara al otro. La llegada del profesor de artes plásticas salvó a Lorenzo de una violación, pero no de un regaño inmerecido. Todos se rieron a carcajadas. El culpable de su propia miseria era el niño abusado. Lorenzo volvió al siguiente día al colegio pues obligación es no faltar a la escuela, aunque esta sea una casa de tortura. Regresó con una mirada triste que no lo dejaría nunca, una mirada que Andrés vislumbra de pronto entre el vaho de la tarde, cuando espera a Regina que regresa descansada a la expedición.

Vamos a mi casa, dice Andrés asumiendo la dirección del camino. Camina unos pasos delante de Regina para espantar a los chuchos que ladran y se huelen el ano. Regina se fija en las casas de colores, la de Andrés es naranja. Adentro, se dará cuenta ella, no quedan muebles ni rastros de la vida humana, es un cascarón a punto de ser puesto en venta.

Voy a abrir ventanas, anuncia Andrés al sentir la humedad acumulada dentro.

El primero en irse de este lugar fue Andrés, luego su hermana menor y hace tres años, la madre, cuyo trabajo de contaduría fue cancelado y entonces decidió mudarse con la hija, kilómetros abajo en los límites del departamento de Chiquimula.

La casa es pequeña con un patio trasero donde todavía pende un lazo para colgar la ropa. Por las esquinas crece persistentemente la mala hierba. Regina se inclina para tocarla. Siempre ha sentido devoción por ella, por forzar la vida en medio del abandono. De pronto, Regina tiembla. Se oye la descarga de una tolva. El sonido seco y regular que ella había olvidado. Andrés la calma.

Aquí cerca está la base militar, deben de estar haciendo ejercicios. Fue mi música de fondo cuando hacía los deberes, dice con ironía Andrés.

115

De esa base militar, amplía Andrés, que se llama formalmente Segunda Brigada de Infantería Rafael Carrera, salieron los estrategas del conflicto armado, ministros de defensa y gobernación, jefes de la policía nacional. Carlos Arana Osorio, Romeo Lucas García, Otto Spiegler, Donaldo Álvarez, Germán Chupina, Mariano Ramírez. El último nombre colapsa el cerebro de Regina. Se le escapa la voz de Andrés, sus impresiones de niño, la simpatía de los vecinos con esa brigada, las posadas que los soldados organizaban, las campañas de vacunación, el izado de la bandera que él observaba con solemnidad, agarrado de la mano de una madre que siempre agradeció vivir cerca de los soldados porque inspiraban protección en esta tierra, decía ella.

Mariano Ramírez se vestía de mujer, señala Regina.

Andrés no comprende la afirmación. Regina siente que está llegando a los territorios aciagos de su frontera, a pocos metros de donde se formó el asesino de su padre, porque asesino no solo es el que acribilla, le dice a Andrés, quien no acaba de entender qué está pasando. Tendrá que esperar a que Regina se ponga de pie, deje la mala hierba en el suelo y se prenda de un hilo de viento que alivia el calor tenso, para contar lo sucedido en 1984.

Al final del relato, el periodista se restriega los ojos vidriosos.

Me cuesta imaginar lo que decís.

LLAMADA FUGAZ, JUEGO

Es muy tarde para manejar a Cobán. Regina necesita saber de Gérard. De pronto siente una angustia galopante. Prueba a llamarlo varias veces sin éxito, como si estuviera contactando la línea telefónica fracasada de atención al cliente. Finalmente, es Andrés quien toma el celular de Regina y digita el número, imponiendo calma en el aparato. Contrariamente a lo previsto, cuando finalmente la comunicación conecta, Gérard no se ofusca por las diez llamadas perdidas de la madre. Se da cuenta de que ella anda lejos. La recepción se interrumpe por instantes. Las palabras se oyen entrecortadas, pero Gérard entiende que ella requiere una mínima explicación, un saber que está bien. Gérard aduce complicaciones en la relación con Claudia, no rompimos, mamá, pero queremos pensar ciertas cosas. De la nada, Regina le pregunta cuál es su color preferido. De pequeño se inclinaba por el verde.

¿En serio, mamá? Ni me acuerdo. No tengo color preferido.

Decí alguno.

Mamá, que no tengo uno preferido.

Uno nada más.

El café.

Regina requería la respuesta trillada del hijo. Va a formular una segunda pregunta, pero la comunicación se corta. Gérard intenta llamarla sin resultado. Vuelve entonces a la computadora. Elige el juego *The Last of Us* para descargar las ganas de estar con Claudia. Un poco cansado, empieza la fuga larga y fatigosa que dicta el juego, cuando la epidemia mortal de ciencia ficción ha paralizado el mundo. Avanza el jugador con perspicacia, sortea los obstáculos con buen ritmo, hasta cuando los personajes Joe y Ellis, en medio de la destrucción de la ciudad, ya muertas sus familias, descubren unas jirafas que pastan en un campo de béisbol abandonado, y esa visión efímera ha contado para que aquellos personajes vuelvan a la inevitable lucha. Gérard deja fluir la pantalla. Tal vez la relación con Claudia, se dice Gérard frente a esta imagen, haya sido ese momento revelador que había valido todo, y solo tal vez, tocaría seguir solo en la carrera sin tregua que le pareció entonces su anodina existencia.

VUELTA AL CAMINO

A los diez kilómetros recorridos después de dejar Zacapa, Regina entró en el sopor inducido por la pastilla. Le sorprendía a Andrés esa facilidad de Regina para marearse y, a la vez, su gozo desbocado por los sabores. Como si en la lengua y en ese tubo palpitante del esófago se alojaran dos corrientes fuertes e inversas que colmaban y expulsaban para constituir físicamente la paradoja.

El trayecto hacia Cobán fue más lento de lo esperado porque Andrés evitaba cualquier traqueteo del carro para que el cuello de Regina no se tambaleara de atrás hacia delante. Al periodista le intranquilizaba ver a su acompañante como un títere sin fuerzas que está a punto de claudicar en el escenario, sin los dedos maestros que lo controlan.

Andrés había tratado de disimular optimismo en aquella mañana para arrinconar la escalada de pesadillas que apenas lo habían dejado dormir. En su mente desorientada habían deambulado durante la noche hombres violados y rostros maquillados frente a espejos que reflejaban salones de clase desamparados. Él mismo se había visto con cejas delgadas, faldas largas y zapatos de tacón caminando entre hombres que babeaban asco.

Frente a la carretera, concentrado en la línea blanca que separaba carriles, Andrés se pregunta si Lorenzo vive, y entonces las imágenes oxidadas por el paso del tiempo cobran espesor sobre su conciencia. Aparca el carro en una gasolinera desierta, con la necesidad urgente de respirar aire fresco. Sale del carro sin apenas cerrar la puerta para no despertar a Regina, se aleja de la gasolinera fantasma y avanza hacia el monte. Regina se despierta, el movimiento se ha detenido. Se asusta al no ver a nadie, se acerca al vidrio delantero y puede vislumbrar a Andrés en la planicie verde, en medio de la nada. Lo observa de espaldas. Solo. Regina no se resiste y toma una foto. Se recuerda de los parajes de las pinturas de Hooper, las colinas de Nueva Inglaterra y alguna gasolinera perdida en el camino. Está tentada de salir hacia él, pero frena el impulso. Sería como contaminar la escena.

Después de unos minutos, Andrés regresa.

¿Despierta y lista para seguir?

Regina mueve la cabeza en forma afirmativa.

❄

Acaso porque la neblina despierta su responsabilidad de copiloto, Regina fue atenta en el camino serpenteado hacia la finca. El paisaje empañado de lluvia reciente le trajo la memoria de Hamburgo. Se siente disminuida por la grandiosidad de las montañas y los árboles. Lo que distingue a través del aire blanquecino es un verde oscuro tupido, hecho arbustos, hecho árboles, hecho siembra. Un verde todo. Regina experimenta una desorientación histórica. Le parece atravesar cronologías hacia atrás cuando el carro revira y salta. De pronto, se ven en la orilla del camino campesinos indígenas con mecapal avanzando con paso corto y rápido, y más adelante una casa de dos aguas con ventanas pequeñas, balcones de madera llenos de flores, como si de la campiña bávara se tratara. Cuando llegan a la entrada de la finca, la lluvia fina moja el rostro de Regina, quien se baja para abrir la reja.

Un camino sorprendentemente ancho desemboca en una rotonda y, al fondo, se erige el casco de la finca. Antes de que Pablo los acompañe a recorrer los amplios balcones de maderas astilladas, antes de que entren a un gran salón que huele a encierro, antes de que hablen con la vieja cocinera que recordará con los ojos mojados de lágrimas las celebraciones de pascua y navidades en tiempos de doña Emma, antes de que pasen al lado de una piscina vacía donde duermen unos sapos, Regina sabe que ese lugar supura grandeza acabada. Pablo les explicará que, después de la crisis del café de 2000, mantienen la finca con una producción modesta. Las inversiones en la industria son las que nos sostienen, dice Pablo, mientras se pone una capa con capuchón. Regina observa sus sandalias, no llegará muy lejos entre los cafetales. El capataz de la finca le entrega a Andrés un plástico para que se cubra. Pablo y Andrés se adentran en los sembradíos mientras Regina se dirige a la casa de la finca. Va hacia el balcón y se sienta en una mecedora que truena con cada movimiento.

Ya nadie se sienta allí, puntualiza la cocinera, que se presenta como Adela.

Regina la voltea a ver. Le cuesta reconocer un rostro por la oscuridad de la tarde y le pregunta a esa sombra quiénes se sentaban en esa mecedora.

Doña Emma sobre todo. Ella pasaba allí el final de la tarde zurciendo ropa o leyendo la Biblia. A veces la acompañaba doña Margot. Me refiero a la época antes de organizar la escuelita, porque entonces ya no tenía tiempo de nada doña Margot.

119

A Regina le llama la atención esa escuela, inquiere por ella. Adela relata que había funcionado varios años, a ella asistían los hijos de los peones después del almuerzo. Estaba en un viejo galerón que demolieron hace años.

Hasta canciones en alemán aprendían, exclama Adela, quien, al acercarse a una de las vigas del balcón, se libera de la sombra y Regina puede ver entonces unos ojos verdes que contrastan con la piel morena. A Regina le incomoda la mirada de Adela y pregunta más sobre la escuela para desviar con las palabras el examen ocular. Adela cuenta sobre clases de matemáticas, grandes láminas de colores, cartillas con las letras del abecedario y pastorelas que los niños interpretaban en diciembre.

Siempre era un lío quién iba a hacer de Niño Dios. A doña Emma no le gustaba que fuera un indito, pero doña Margot decía que eso no era cristiano. Las dos no se llevaban bien.

Regina sabe que Margot es la madre de Fritz. De Emma no tenía noticia.

Véngase, acabo de hacer atol de masa.

Regina sigue a Adela hacia una cocina que bien podría ser el refectorio de un monasterio, con un poyo que debe haber sobrevivido una centuria. Adela sirve el atol y le pregunta a Regina a qué se dedica.

Soy maestra, contesta Regina lacónicamente.

Esta respuesta basta para que Adela deje la taza en una esquina de la estufa, desaparezca unos minutos y vuelva con una caja, desde donde sale una regla T y unos rollos de papel, que resultan ser las láminas de colores con las que Margot explicaba las partes de las plantas y del cuerpo humano. Adela cree que este material le puede servir a Regina. Por compromiso, ella hurga en el contenido de la caja con miedo a que salte una cucaracha sobre sus dedos. Está a punto de parar la operación y aclarar a Adela que trabaja como maestra en la universidad, pero de pronto observa un ejemplar de la *Pedagogía de la liberación,* de Paulo Freire. Regina lo saca. Es un ejemplar bastante subrayado, con anotaciones en pluma. Regina vuelve al contenido de la caja y encuentra un cuaderno rotulado con la leyenda "Ideas para la enseñanza en la finca". Empieza a leer formas para aplicar los postulados de Freire con los niños de la escuela, el reconocimiento de la dignidad del alumno, la búsqueda del diálogo y la participación, así como la reflexión sobre las propias circunstancias sociales. Regina distingue con asombro una división clara en la caja: materiales de una enseñanza tradicional memorística y el cuaderno nacido de una pedagogía moderna. ¿Poseía Margot una doble personalidad educativa? Lo que le sigue contando Adela encuadra, empero, en la vertiente tradicional: memoria, disciplina vertical, imaginarios europeos.

Regina escucha la voz ronca de Andrés. Entra empapado y con una cara que denota cansancio.

Yo digo que nos vamos, ya Pablo me contó un poco de la finca.

Pablo ve el reloj, también debe irse. Su plan es regresar a Cobán y salir al día siguiente de madrugada a la capital.

¿Y no se lleva algo de la caja? pregunta Adela.

Regina no sabe qué contestar. Intenta que Pablo intervenga diciendo que no, pero está concentrado en organizar la salida. Poco le importa lo que está en esa caja y en la casa de la finca. Como luego contará Andrés, Pablo está aquí como castigado. Regina no quiere defraudar a Adela y precipitadamente toma el cuaderno.

Al despedirse, Adela vuelve a los recuerdos, como si los cinco minutos que le quedaran a Regina no pudieran desperdiciarse en el inútil presente.

En las navidades, viera la tamaleada que hacíamos y además un pan bien rico, no sé si conoce el *stollen*.

Regina se imagina el poyo lleno de ollas con tamales y las mesas cubiertas de harina y azúcar mientras el carro todoterreno arranca.

Aquí no hay reportaje ni nada, lo que contó Pablo lo pude haber sacado de Wikipedia.

¿Y por lo menos te dio fotos o pistas de alguna historia?

Dos fotos amarillentas de la familia que no sirven para nada.

Está oscureciendo, la niebla obstruye de nuevo el camino de regreso.

❀

Mientras Andrés duerme, agotado por el camino, Regina se aburre en el cuarto de al lado. Enciende el televisor, juega con el control remoto y comprueba que la programación es peor que el aburrimiento. El reflejo de la pantalla amenaza con una migraña. Regina apaga el televisor y se lamenta de un error, en el que pocas veces incurre, viajar sin un libro. Examina la habitación y se fija en su bolsa. Saca de ella las fotos que Pablo le entregó a Andrés, seguramente lo primero que había encontrado en alguna gaveta del escritorio o de la cómoda en el salón cubierto de polvo.

La primera foto retrata las siembras de café desde un punto de mira en la altura. La segunda foto, más reciente por el color y la leyenda Kodak, enfoca cuatro mujeres frente a la puerta de una galera. Las fisonomías de dos mujeres, blancas, arrugadas y altas correspondían a Emma y Margot. Una tercera mujer, sin duda alguna, es la propia Adela, los ojos verdes y la pequeñez de su cuerpo aseguraban el reconocimiento. Una clarividencia asoma en aquella habitación de hotel, Adela comparte la sangre de los Richter.

Regina limpia los anteojos con un trapo y agarra el cuaderno de la finca. Las anotaciones son caóticas. Hay esquemas, citas textuales, preguntas, cuadros sinópticos, oraciones sueltas. La alfabetización de adultos como acto político y como acto de conocimiento, lee Regina, siempre la lectura del mundo precede al mundo de las palabras, sigue leyendo, no imponer el propio mundo, enseñar con el mundo de ellos, continúa ella. Supone que, además de niños, la escuela había sido lugar de alfabetización, porque se menciona la dificultad de suavizar la mano del estudiante y el imperativo de dibujar objetos del trabajo. Se pregunta la escribiente de esos cuadernos si va a poder copiar los dibujos de los huipiles para acelerar la motivación de la lectura.

Imposible conciliar el sueño con tantas impresiones. Regina logra dormir hasta con el primer rayo de sol que irrumpe por la ventana. Es incapaz de escuchar la primera la segunda la tercera la cuarta llamada de Andrés, impaciente por verla y por regresar. La mente se había aclarado en ese viaje.

FRENTE A ÉL

Los experimentos didácticos y el interés por el traje indígena terminan el día de la reunión del claustro. El profesor entra en el aula vestido con unos pantalones caquis y una camisa azul. Lleva bajo el brazo un fajo de papeles. Visualiza a los asistentes que conversan en grupos. Él se sienta enfrente de la puerta y comenta al colega vecino que la guerra le dejó, entre otras imposibilidades, el sentarse de espaldas a las puertas. Por el miedo a que entraran y me mataran.

El colega se sobresalta. Admira el pasado heroico del profesor. El decano y Claudia entran al aula cinco minutos después. Inmediatamente Claudia y el profesor intercambian una mirada. Claudia suda de las manos y, por eso, se resbala un fólder en el piso cuando ella se acomoda en la silla. Se agacha a levantarlo. Ese titubeo solo lo perciben el profesor y Rosa. El decano menciona el honor de contar con Rivera como profesor visitante, no todos tienen la generosidad de este hombre.

Claudia tiene ganas de vomitar.

Los puntos de la agenda son variados. El decano conduce la reunión, aborda cada asunto, da margen para preguntas. La mayoría del claustro permanece en silencio. Desde hace meses, en el país y en la universidad se vive en silencio. Sin embargo, Claudia sabe que vendrán las palabras de Rivera. No podría quedarse fuera del reflector. Rivera agradece a la universidad por una nueva invitación que demuestra cómo la globalización también ha tenido aspectos positivos. Indica sentirse parte de esta universidad y del país, del que se fue obligado a salir. El exilio encumbra un aura de intelectual rebelde.

Claudia tiene ganas de vomitar.

El decano responde a Rivera que ojalá y en algún momento la universidad lo tenga permanentemente. El profesor invitado se sonríe y dice que el futuro no existe.

Claudia tiene ganas de vomitar.

Rosa levanta la mano. El decano le da la palabra. Se mueve en la silla con impaciencia porque de Rosa y Claudia no se sabe qué esperar. De pronto, piensa él, y querrán poner a los presentes a zurcir calcetines. Rosa menciona que muchas cosas han cambiado en el último año. Va al punto. Es necesario un protocolo para ser aplicado en casos de acoso sexual de estudiantes. El decano se vuelve a mover en la silla. Contesta que el tema no está en la agenda del día y que afortunadamente en la universidad se respira un ambiente de seguridad. Rosa replica que no tanto, que se oyen rumores, que hay testimonios.

Claudia tiene ganas de vomitar.

El decano arguye que los rumores no valen y que quien tenga algo que decir que lo diga. Si Rosa tiene algún interés en el tema, él espera una propuesta por escrito. La tendrá, contesta Rosa.

Claudia tiene ganas de vomitar.

El decano da por concluida la reunión. Rivera ve fijamente a Claudia. Ella se levanta, sale del aula y va directamente al baño. Se le vienen arcadas secas. Se limpia la cara con un *kleenex*, y va al lavabo para lavarse las manos. Es la primera vez que Claudia piensa en el *me too* con relación a ella misma. La primera vez que esa campaña viral que cambiaría para siempre protocolos, imágenes, costumbres y formas de entender las relaciones entre hombres y mujeres, la siente propia. El *me too* se escribe y se reescribe, piensa Claudia, con la furia del silenciamiento. Surge de heridas y humillaciones guardadas en esquinas oscuras, en sillones como potros de tortura, en la intimidad del baño, a lo largo de corredores, debajo de los manteles, a ras de las alfombras, sobre asientos de carro, en el gélido cemento, entre viejas libreras al fondo de bibliotecas, en el suelo de las maquilas, contra las rejas de confesionarios, detrás de los púlpitos políticos y cristianos, de frente en despachos oficiales, a través de mensajes y portales, en tantos lugares y a cambiadas horas. El *me too* se refleja en el espejo y Claudia, todavía mareada, se mete a través de múltiples cristales, y alcanza a escuchar las palabras que Tarana Burke no pudo pronunciar a tiempo frente a una niña de 13 años, sí, yo también.

LIBRO Y PERSONA

Claudia se adentra en una etapa de regresión hacia los años en los que fue una mujer sola y aprendió algo elemental, a comer en un lugar sin nadie a su lado. Las sillas frente a la barra le ofrecen, como entonces, un lugar autónomo, donde no interfieran preguntas de algún mesero sobre a quién espera, o la mirada extrañada, a veces de lástima ajena, que otros comensales lanzan hacia ella.

Claudia saca de su bolsa el libro de Rivera. Fue el que le valió el *tenure* y el reconocimiento en Guatemala. Sobre la memoria. Ella lo leyó hace muchos años en el ejemplar que el profesor le había dedicado. Un ejemplar botado a la basura. Ahora tiene el libro de la biblioteca. El prólogo es un largo agradecimiento. Un buen trabajo de citas. Allí está el planteamiento de la hipótesis que atraviesa el libro, la literatura, antes que cualquier discurso, interpretó las etapas del conflicto armado, les asignó afectos transversales, prefiguró los años posteriores. La prosa de Rivera se salva del academicismo oscuro. Se filtra una ironía en momentos clave. Convence.

Claudia alza los ojos y ve al mesero que se acerca a la barra. Pide un sándwich de queso y una cerveza sin alcohol. El mesero aclara que cerveza sin alcohol no tienen. Claudia pide entonces una Coca-Cola. No ha probado bocado en el día y de pronto se da cuenta que necesita comer. Para matar los ruidos del esófago, saca el teléfono. Ansía algún mensaje de Gérard, pero este ha cumplido a rajatabla la condición de distancia que ella misma determinó. Rosa se ha disculpado varias veces, no debió mencionar el asunto del protocolo y el acoso. Aduce que no solo es Claudia, debe de haber otras.

El sándwich de queso y la Coca-Cola llegan. Claudia se concentra en la comida. La devora con ansiedad, menos con hambre. La grasa se escurre entre sus manos. Claudia ve el servilletero, pero atalaya el libro. Lo toma, se restriega las manos en las páginas 45 y 46 donde se escribe que resulta inútil la nostalgia, toda memoria lleva consigo el olvido. Toma el libro y lo levanta con una mano. Lo pulsea. Es pesado, casi 500 páginas. Le duele la muñeca.

De nuevo pone el libro en la barra y lo hojea. Va a la página de la dedicatoria, este libro pertenece a los ausentes, y la arranca. La hace un manojo arrugado que va directo a la basura. Avanza a la siguiente página, la del epígrafe "en la improvisación reside la fuerza. Todos los golpes decisivos habrán de asestarse como sin querer, Walter Benjamin". Claudia también la arranca. La dobla en cuatro y la estruja. Se ríe de la lucidez del epígrafe. Los golpes de Rivera han sido como sin querer, pero con voluntad y con frialdad, como fue frío aquel sillón de cuero negro en el cual ella quería terminar el camino previo de la seducción, mientras aquel hombre, el autor, continuaba y ya no hablaban de nada, solo él gemía y ella no veía nada, se estaba quedando ciega, pensó mientras trató de soltarse, pero el hombre, el autor sobresaliente de este libro, le dio vuelta, la agarró de las muñecas y entonces Claudia sintió la mano sobre su boca, y una embestida siguió a otra y a otra, hasta que ese hombre, el autor de la literatura y del arte de la memoria, soltó un gemido y se separó de ella, mientras un dolor brutal tronaba en la oscuridad.

No hay duda, se dice Claudia, el libro de Rivera es sólido. Sobrevive a su propio monstruo.

NUEVA VISITA

Esta vez el tráfico es llevadero. Claudia aprovecha la pausa del mediodía para visitar el museo Ixchel. La blusa pegada de sudor a la espalda la zangolotea con el aire fresco que circula en las salas. Recorre parsimoniosamente el trayecto entre las maniquís y los objetos expuestos. Arrastra los pies porque se siente lenta. Es una lentitud que viene de dentro, desde la palpitación apenas perceptible del pulso. Claudia avanza con un paso largo y va contando cada uno de ellos, hasta que llega al decimoquinto y lee que en ese museo se guardan 7,801 tejidos originarios de 147 municipios y 34 aldeas del país. Un archivo de telas empleadas en huipiles, sobrehuipiles, perrajes, cintas, tocoyales, velos, *su´t*, pañuelos, ponchos, jergas, sacones, cotones, capixayes, pantalones, sobrepantalones, paños ceremoniales, fajas, camisas, manteles, bandas para adornar las imágenes de los santos. Claudia pega la frente en un vidrio, como niña delante de una vitrina. Pegar la frente es no querer irse, lo sabe ella, que pasó buena parte de la infancia dejando las marcas de su piel húmeda en los vidrios de los almacenes. Había deseado pasarse del otro lado, meterse dentro de un vestido o agarrarse al maniquí y quedarse allí posando de alegría. Claudia desea tocar, pero no puede. Entonces se gira y observa un capixay negro con faja roja colgado de dos pitas. No recuerda haber visto a algún hombre con esa capa de lana negra. Imagina un rebaño de ovejas negras en el altiplano. Imagina manos manchadas de tinte rojo. O de sangre. Piensa, de pronto, en las técnicas de tortura que leyó en el REHMI, le decían colgamiento. No le parece inverosímil salir de allí y vestirse con ese atuendo de varón, protegerse del frío ella, del frío él, de todos los fríos de esta tierra, envolverse en la cálida lana y dar vueltas entre los colores, sus vertientes y confusiones, un caleidoscopio es también este museo. Claudia observa a su alrededor. El policía encargado de la seguridad está lejos. Alguna cámara dejará testimonio de su paso por esta sala, pero poco le importa. Claudia saca la tijera de la parte interior de la bolsa. Vuelve a ver si el policía está lejos y comprobada su lejanía, corta los hilos de donde pende el capixay, que cae suavemente al suelo. No suena ninguna alarma, no existen en este museo o no son efectivas. Aprovechando el golpe de suerte, deja el capixay en el suelo, vuelve al territorio tomado por los maniquís ovnis, y con tijera en mano, fija la mirada en el velo ceremonial de Patzún, en el *su't* de Magdalena Milpas Altas, en el perraje de San Juan Cotzal. Claudia se arma de una seguridad desconocida, se pone de puntillas y ensarta las tijeras en la tela

anodina
ficticia
estilizada
vacía
falsificada
blanca
de la cara de una maniquí.

La mujer que huye del disfraz de la infancia contempla unos segundos el instrumento y las heridas. Guarda las tijeras en la bolsa, sale discretamente de la sala, imprime ritmo a las pisadas, atraviesa el corredor, la lentitud para entonces ha desaparecido, ella siente que le van a gritar deténgase allí y entonces, con un desesperado hálito de libertad, cruza el umbral del museo y respira.

LOS SIGUIENTES DÍAS

Ya no tiene escrúpulos con la asistencia al trabajo. Pide un mes de permiso con la certeza de que el decano lo otorgará de mala gana o con la amenaza del despido. No le importa. La pantalla en blanco se ofrece solícita. El cerebro conecta de nuevo. No puede recordar cuándo fue la última vez que tecleó como caballo a galope, con ganas de cruzar espacios. Se libera de la carta, del formulario, de la recomendación, del guion de una clase. Lee y escribe. Lee sobre las manos que tejen. Una historia le sorprende. La gallega Inés Rodríguez deja la plaza de funcionaria el día que estrella el carro contra un árbol. Vuelve a los materiales del pueblo, restaura el viejo telar de la familia y reencauza lo que alguien llamó vocación. Entonces crea fibra de proteína láctea, que conjunta lana y caseína. El resultado, mantas biodegradables, en cuya suavidad se arropa a los recién nacidos para estimularles así la sensación del olor de la leche y con ello la memoria. Dormir y recordar, oler y recordar, cobijarse. Claudia cambia a otro rumbo, a otros materiales, pero confluye en la vuelta al mundo de las manos. Las mujeres salvadoreñas refugiadas en el campamento hondureño de Colomcagua durante la guerra empiezan a bordar pájaros, flores, cocinas y huertos en sacos de harina donados por una agencia internacional. Jamás habían tomado un lápiz, pero con los sacos de algodón se animan a realizar bocetos de sus vidas como errantes sin tierra y también para dejar constancia de los crímenes en su contra. Elaboran con lustrinas de colores la crónica de una época. Los sacos de harina guardan el aroma a sobrevivencia.

Escribir un libro a partir del trabajo con papeles y telas le parece a Claudia un proyecto que despeja las últimas semanas de incertidumbre. Escribir su libro, inventando materiales, para reflexionar sobre el origen, el cuerpo y sus consentimientos. Esa palabra que apunta al núcleo de la voluntad, a los signos que la descifran. El consentimiento en lo político, el consentimiento del infante, el consentimiento del refugiado, el consentimiento en lo sexual. Ese momento intermitente y crucial. Los sistemas que lo arrebatan.

El libro tejido como proyecto. Desde las manos. Ella, la letrada.

DETRÁS DE LA PUERTA

La noche cayó sobre la ciudad. Claudia asiste a una conferencia en el antiguo cine Lux y regresa caminando al apartamento. Evita andar sola por las calles del centro cuando es tarde, pero le parece que son apenas cuatro cuadras a pesar de la nocturnidad. Una distancia que nadie en un país normal pensaría peligrosa. Enfila la once calle y luego gira a la séptima avenida, ya tomada por prostitutas en las esquinas, algún travesti que se ofrece mientras va y viene en la banqueta, un oficinista que va tarde y apresura el paso. Claudia saca la llave un poco antes de llegar al edificio, mira para atrás, las luces de neón de la calle extrañamente le reflejan entusiasmo.

Acaso porque ha sido un día intenso de escritura y es de noche, acaso porque anda pensando en Gérard, la atención en los actos rutinarios disminuye. Claudia no puede meter la llave en la cerradura, pelea contra el metal, agarra la manecilla, y en esos segundos, el instinto de protección se activa. Ella voltea rápidamente la cabeza y observa en el lado contrario desde donde ha venido, a unos pocos metros, una sombra. Las manos le tiemblan, se resisten a dar la vuelta a la llave, y como en el corredor de la facultad, el sujeto pasa delante de ella, y le dice buenas noches señorita. Es el dueño del comedor en donde Andrés almuerza, se conocen desde hace años. Otra idea para el futuro libro, el miedo en la calle como una aguja que pincha, murmura para sí Claudia.

Del otro lado de la puerta, ya conseguido el tortuoso ingreso, ella saca de la lata de galletas un pedazo de tela que huele a guardado. Aprendía a bordar en aquellos días sobre el molde de un pollito y con lustrina amarilla. Terminó de completar el bordado en un mes de diciembre, alrededor de alguna de las visitas al Santuario de Guadalupe. Claudia decide que insertará una flor al diseño. Busca entre las lustrinas los colores naranja, rojo y verde y se pone manos a la obra. A medida que la mano se mueve, Claudia experimenta la sensación de retroceder en el tiempo para avanzar. Completar lo pendiente. Detenerse en lo pequeño. Recuerda la mujer encorvada del cuadro de Johannes Vermeer, la encajera de bolillos que está absorta, sus dedos que la guían en un corte con el mundo hacia la precisión de la puntada. Al retomar la costura pendiente, Claudia integra a su proyecto la liquidación de las cuentas pendientes. Se las debe ella misma sobre todo, porque finalmente nada se olvida.

Es más de medianoche cuando Claudia completa el bordado. Acaricia la tela.

Así lo relata a Gérard y Rosa en dos llamadas que ninguno contesta. Es tarde. Ambos duermen. A Rosa, Claudia le comunica que hay que enfrentar lo que toque. A Gérard, le dice con una franqueza desentumecida que lo quiere. Agrega que tiene planes, nuevas cosas, Gérard, dejo este trabajo de autómata.

Estas son las últimas llamadas que aparecen en el celular cuando encuentran el cadáver de Claudia al siguiente día. En la billetera de la occisa, no faltaba nada, ni una foto extrañamente mutilada de cuando era niña. En el iPhone, se pudieron localizar varias fotos de un bordado infantil, tomadas horas antes del asesinato.

MORTAJA

Nadie quiere que llegue el día en que se vela a un ser querido. Nadie sabe cómo será ese día.

La sala permanece en una quieta penumbra, aunque afuera principia la tarde. Varias coronas de flores acompañan el lugar donde será puesto el féretro. Algunos lazos cruzados entre gardenias y margaritas identifican a personas e instituciones que se apresuraron a enviar las condolencias. La universidad, el consorcio de Fritz, la empresa de Gérard, los propios padres de Claudia. Los asistentes se reparten en los sillones de cuero. Algunos forman pequeños círculos en donde desahogan la consternación. Rosa está sola. Revisa la breve alocución que pronunciará en nombre de la universidad. Se resistió a que el decano tomara la palabra. La madre de Claudia recibe el pésame de los recién llegados. Con un puño de *kleenex* en la mano intenta controlar la pena. El padre de Claudia está en *shock*. Hace mucho tiempo dejó de conocer la vida de su hija, pero en ese momento, cuando los huesos son su hija, no puede dejar de observar, como en un túnel enloquecido, las risas de la infancia, los correteos en la finca, las primeras zambullidas en el río. La muerte convierte al ausente en un ser cercano que reclama.

Cuando van a ser las cuatro de la tarde, Regina aparece vestida de luto. Se apea discretamente en la puerta de entrada. No conoce a nadie. Observa las flores y los fierros que apoyarán la caja. No puede dejar de maldecir la tierra a donde ha vuelto. El golpe ahora le toca al hijo. Resuena en el silencio de la funeraria la voz pronunciada horas antes, mamá pasó algo. La llamada que fue un parteaguas y le golpeó el tímpano. Mientras todos allí convergen en la muerte de Claudia, ella se pregunta cuál es el camino que Gérard debe tomar para olvidar lo más pronto posible, porque cuanta menos memoria más posibilidades de sobrevivir en esta tierra. Sus hipótesis se interrumpen por una mano en la espalda, como quien requiere el contacto entre los extraños. Es Andrés. Inimaginable fue para el periodista que llegaría el día en el que le tocaría aconsejar a Gérard sobre cómo proceder con la policía, cómo lidiar con el fiscal de turno, cómo reconocer el cadáver en la morgue. El rostro de Claudia no ha dejado tranquilo su cerebro. Andrés le cuenta a Regina que ya viene Gérard.

A Gérard le tiemblan las rodillas. Se restregó la piel tantas veces que las piernas están enrojecidas. A pesar del jabón y del pashte, hay un olor que no desaparece. En el carro estacionado, antes de bajar a la funeraria, Gérard se aprieta la nariz con las manos, expulsa los mocos con fuerza. Siente que aquel olor se prendió a las fosas nasales. El olor a morgue.

Gérard no puede ordenar la secuencia de las últimas horas. El lugar común de estoy en medio de una pesadilla marca sus sensaciones. No podía ser real el cuerpo inerte de Claudia cubierto con una manta. Todavía no lo es.

Gérard silencia el teléfono que no deja de sonar. Parece un demonio con lenguas de luz que amenazan. Ha sido incapaz de contestar llamadas. Apenas pudo avisar a la madre de Claudia y luego a la propia. Y a Andrés, para dar los primeros pasos que, como ahora que se encamina a la sala de la funeraria, resultan dubitativos. El empleado de la funeraria se acerca a Gérard para anunciarle que puede entrar, el féretro ya está listo y pronto será puesto en el lugar. El lugar es para Gérard una indicación sin coordenadas, extrañamente vaga.

La madre de Claudia se levanta al ver a Gérard. La relación entre ambos ha sido escasa, pero en él Zoila había depositado la última esperanza para que la hija se encaminara hacia una vida normal, con una casa bonita, un marido, dos hijos y un perro. Apenas puede abrazarse unos segundos a Gérard, porque el féretro ingresa. Todos se ponen de pie. Rosa musita ah la gran puta. El padre de Claudia rompe a llorar. Regina observa el rostro de Gérard, sus ojos enrojecidos y absortos en la caja metálica que empieza a ser cubierta con las coronas y los ramos de flores. Alguien pone al lado una foto de Claudia con un lazo negro. Gérard detesta la foto desde que la ve porque su novia la mandaría a quitar en ese mismo momento. Es un retrato de estudio fotográfico que Zoila recuperó en la premura del tiempo. Gérard reconoce el gesto a la defensiva de Claudia, su renuencia acostumbrada a posar por obligación.

Lo que pasa entonces hace que Gérard se distancie por completo. Un pastor calvo vestido de traje café pasa al frente de la caja y habla de la misericordia de Dios, de Job y su necia fe, de los tenebrosos valles y de unas aguas mansas en donde podemos descansar. El pastor insiste en la palabra prueba. Es una lógica perversa, piensa Gérard, aquello de cuanta más fe, más exigencia de Dios. Andrés ve el reloj cada cinco segundos. No puede aguantar los gritos del pastor. Se le figura que Claudia duerme y que hay que defender su quietud. En la oración final del pastor, cuando está de rodillas frente al féretro, entra a la sala Fritz. Busca a Gérard, y es en ese momento cuando el hijo que no tiene padre encuentra el pecho masculino para llorar. Una migraña reptante golpea el sentido común de Regina. Está a punto de separar a Fritz y Gérard. Le fastidia esa intimidad.

La noche del velorio es particularmente fría. Un chiflón entra por la puerta cada tanto. Regina insiste a Gérard que se vaya a dormir, la sala se está quedando vacía y mañana toca el entierro. Pero Gérard dice no mamá me quedo. Regina decide permanecer. Toma una manta y se recuesta en un sillón. Ha regresado un zumbido en el oído.

Es en el silencio de la noche cuando Gérard empieza a preguntarse qué le pasó a Claudia, quién la mató. Rivera entra en la escena macabra de un crimen perpetrado con un golpe certero en la cabeza. Él es la única pieza suelta en la vida de Claudia. Pero también Gérard piensa en el submundo que habita las calles del apartamento de Claudia y se siente culpable por obediente. Debió rebelarse y arrancarla de ese centro maldito. Por qué ella bajó tan temprano ese día si había dormido hasta la madrugada, no entiende Gérard, que se cubre con la chaqueta de plumas que ya no recuerda cuándo su mamá le envió como obsequio de cumpleaños.

El barrendero de la funeraria trapea el corredor alumbrado por una luz mortecina. Con parsimonia desliza de izquierda a derecha el trapo. Todavía hay granos de arena que se quedan pegados, a pesar de las semanas que han transcurrido desde la erupción del volcán. El barrendero tiene una hipótesis. Quienes deciden quedarse a velar al muerto en las horas de la madrugada son quienes más han querido al difunto o los que más culpa cargan. Lo piensa cuando observa a Gérard sentado en una silla dormitando la tristeza. No entiende el barrendero por qué la consternación de los deudos de esta mujer. Es lo que pasa a diario en su colonia. Matan a una, dejan el cuerpo descuartizado de otra. Su vecina hace mucho se fue a los Estados Unidos, después de que unos mareros la metieran en un carro y la violaran. Casi la matan.

El barrendero sigue repasando el corredor rítmicamente con sus manos fuertes y ajadas, como si dibujara en los azulejos algún sueño esquivo.

DISCURSO PUNTUAL

Tengan presente que lo que vamos a enterrar son solamente huesos. Claudia, a quien hemos querido, ya desapareció. No puedo asegurar en qué dimensión descansa ya, pero seguramente está tejiendo o leyendo un libro, y de fondo, escucha el rumor nuestro esforzándonos por armar esta despedida. Pero, sobre todo, la Claudia que hemos conocido, nos interpela. Nos interpela para que no nos resignemos a su muerte y la de tantas mujeres en este país. La muerte nos devuelve la secuencia de vida de una mujer que fue curiosa, creativa, política, buena compañera de trabajo. La muerte es la hora de las lamentaciones sin duda alguna, y en mi caso, lamento no haber compartido más tiempo con ella. En nombre de la universidad, sus autoridades, el claustro de la Facultad de Ciencias Políticas y Sociales y de sus estudiantes, doy el sentido pésame a sus papás y a su novio Gérard. Descanse en paz.

Rosa deja el improvisado pódium al lado del féretro. Gérard se niega a hablar, a pesar de la invitación de Zoila. Ha respirado hondamente después de las palabras de Rosa, palabras que le permiten desterrar en esas horas venideras el cuerpo vivo de Claudia deslizándose en la alfombra verde del camposanto, rozando los guantes de los empleados, enredándose en las pitas para bajar la caja. Solo son huesos.

RESUMEN DÍAS POST

La que tocó la puerta insistentemente. La que llamó a deshoras. La que casi asalta el apartamento de Gérard fue Regina. El que dudó sobre la fuerza de Gérard para ingresar en el dominio corrupto de los jueces, calibrando la desmesura entre impaciencia del deudo y la inercia del sistema, fue Andrés. El que recibió a Gérard y lo invitó a dejar atrás todo esto, sin precisar bien qué era todo esto pero con la certeza de que debía alivianar la carga del recuerdo, fue Fritz. La que la misma noche del entierro empapeló los vidrios de la facultad, invitando a denunciar a quienes por décadas habían acosado a las estudiantes, incluido el profesor Rivera, esa fue Rosa.

QUIÉN ES GÉRARD

Hasta entonces Gérard había narrado su vida con optimismo. Después de dejar la casa alemana, así se refería él al lugar de su infancia y adolescencia, se había esforzado en poder definirse un día como un hombre satisfecho. Tal vez frente a un hijo que le pediría algún consejo en un momento de tribulación. Gérard había calculado riesgos y posibilidades con cuidado porque pensaba que finalmente toda satisfacción futura dependía enteramente de la voluntad. El absurdo y la tragedia eran palabras para los débiles. A él nunca lo marcarían con sus vocales hondas. Ahora, sin embargo, su definición de hombre se pulverizaba.

Fritz le sirvió en las primeras semanas para salir de la ciudad y de un apartamento donde difícilmente podía respirar. Se fueron los dos a caminar por las montañas de las fincas alemanas, se metieron en senderos, atravesaron riachuelos. Aceptaron la lluvia helada y necia sobre los rostros porque les recordaba que no son las grandes pérdidas contra las que se debe luchar para sobrevivir, sino las nimias. Los pequeños obstáculos que obligan a reaccionar, a reafirmar en gestos que se quiere seguir adelante. Sin embargo, hubo un momento en que se agotaron esos recorridos y la pena tragó toda determinación.

Llegó entonces la decisión de volver al trabajo. Gérard experimentó lo que él mismo había sentido frente a otros deudos, conmiseración y agradecimiento por no serlo. Ese alivio de no ser el que sufre. Ahora él era su dolor. Evadió conversaciones porque todas parecían un círculo que conducía a la impotencia. Se cansó de las mismas palabras. Y así, imposibilitado para aceitar la máquina de trabajo en la que había depositado mucho de su valor durante su vida adulta, Gérard se fijó en pequeños detalles, como la ausencia de la flor trasplantada. Preguntó a las secretarias. Inquirió al conserje. Ninguno supo a ciencia cierta por qué la habían quitado. La empleada, que Gérard describió como la artífice del trasplante, fue localizada y entró a la oficina con cara asustada. Le costó reaccionar a la pregunta inesperada qué pasó con el geranio en la esquina del patio interior y, solo después de unos segundos, pudo decir que ese lugar no le había hecho bien al geranio, poca luz, en síntesis. Se lo había llevado a su casa, con autorización del jefe de la conserjería, aclaró la empleada.

Quisiera tenerlo yo, se lo compro, dijo Gérard ofreciendo además ir en ese momento a la casa de la empleada, quien en el trayecto en carro dijo llamarse Marta, contó que trabajaba en la empresa desde hace tres años, que tenía dos hijos, era madre soltera y le gustaban las flores, pero donde vivía apenas lugar había, solo un patio compartido donde estaba el geranio. Llevar a

Marta a la casa fue cruzar la frontera de la ciudad que él conocía e internarse en unas calles que serpenteaban las montañas pelonas de Amatitlán y luego bajar, como en el infierno de Dante, en anillos circulares hasta llegar a un lugar polvoriento llamado El Búcaro. A medida que bajaban, las calles dejaban de ser de asfalto, las casas se volvían más pobres y una atmósfera de miedo hizo a Gérard ponerse alerta, ver a los lados y por el retrovisor de izquierda a derecha. Marta le advirtió de los mareros, de un control al milímetro de quién entraba y salía de allí, del peligro de dejar el carro parqueado, era mejor quedarse mientras ella entraba corriendo por el geranio. Así lo hicieron, ella bajó sola, abrió la puerta de una casa hechiza de madera y lámina, y al poco tiempo, salió con la maceta y se la entregó a Gérard. Este se disponía a cumplir el pago prometido, muy por encima de lo que vale un geranio, pero Marta insistió, no es necesario. Gérard alargó el brazo con el dinero en la mano, pero Marta dijo en la oficina si es el caso, no aquí.

Gérard cumplió las instrucciones de Marta. Se vio a sí mismo como un idiota. Aceleró el carro. Escaló los círculos del infierno esquivando hoyos y tragantes, sobre todo huyendo de los ojos de los transeúntes, los ojos de quienes estaban apostados en las esquinas, los ojos de la gente en las paradas de bus, todos esos ojos lo seguían como espías que han tomado nota. Gérard respiró hondo cuando llegó a la cumbre, que en verdad era el suelo, solo había llegado a la superficie de la ciudad. Ladeó el carro, y se fijó en las montañas desérticas que rodeaban el paisaje. Le parecieron muñones sin esperanza.

Ese mismo día, Gérard empacó lo indispensable en una maleta. Creía que los ojos de El Búcaro lo habían seguido hasta el edificio. Recordó los párpados cerrados de Claudia. Le dio miedo la ciudad. Salió del apartamento, en una mano la maleta y en la otra el geranio. Se registró en un aparthotel que encontró cerca de La Reforma. Se quedaba por tiempo indefinido. Abrió la habitación con cautela, encendió las luces, revisó el closet y las esquinas detrás de las cortinas. Pidió a la empresa que depositaran a Marta una cantidad de dinero, que el contador no entendía a qué servicio se debía. Llamó después a Andrés para dos asuntos precisos: como sea publicar el artículo debido a Fritz y, segundo, preguntar por los alrededores del edificio, dar con algo que permitiera reconstruir las últimas horas de Claudia. Después de colgar el teléfono, Gérard se fue desnudando. Tomó la maceta con el geranio, juntó agua caliente en la bañera, colocó la flor a un costado. Metió los pies en el agua y empezó a llorar amargamente.

ALREDEDORES

De antemano sabía el periodista que reconstruir la historia de la muerte de Claudia llevaría tiempo o sería un imposible. Muy lejos estaba Gérard de entender que el país no era un capítulo de *Law and Order* con sentencia condenatoria o una novela policial bien construida. Guatemala era un relato mal contado con digresiones que acababan en la nada. Llevaría tiempo y mucha tenacidad atar cabos, juntar versiones, atrapar alguna información entre conocidos. Aunque Gérard había contado a Andrés sobre Rivera la mañana del crimen, el periodista dudaba de que el profesor estuviera involucrado. Era un promiscuo y desgraciado, como aparecía en las declaraciones de mujeres, quienes, animadas por un empapelado anónimo en la universidad, contaron historias que empezaban en la seducción y terminaban con un daño. El poder del profesor se estaba resquebrajando, pensó Andrés, por la salida precipitada del país y el anuncio de la universidad estadounidense sobre una suspensión. El héroe civil e intelectual andaba ahora en la oscuridad.

Andrés caminó por la cuadra del edificio donde vivía Claudia. Se acercó a un chiclero, al vendedor de lotería, al regente del parqueo. Se repetía lo de siempre: nadie había visto nada, nadie había escuchado nada. La ciudad se tragaba las voces y los cuerpos.

El único dato que Andrés recordó al deambular por los alrededores del edificio fue que el bote donde guardaba Claudia el café estaba en la mesa abierto y vacío. Conociéndola, dedujo que había salido al amanecer a comprar café. Ella vivía del menudeo.

Y al bajar, en el estrecho y viejo vestíbulo del edificio, acaeció el golpe en la cabeza.

El ruido de las camionetas aturdió a Andrés. Se arrimó a la entrada del parqueo y llamó a Gérard. Si quería lograr algo, le tocaba empezar a moverse en el Ministerio Público, en la policía y en los juzgados, como los deudos de otras muchachas que, resistiendo el paso de meses y años, se empeñaban en forzar informes, localizar testigos, redactar memoriales, luchar con una atmósfera que dictaba aquí la vida de una mujer no vale nada. Mandar a un periodista al lugar de los hechos no resolvería nada.

La voz de Gérard sonó pastosa e imprecisa. Apenas podía marcar las consonantes. Dijo incoherencias. O había bebido o se había drogado. Andrés se alarmó. Gérard nunca había perdido el autocontrol.

EN CUATRO PATAS

El consumo fue brutal. Gérard recordaba algún cigarro compartido en bares subterráneos de Hamburgo o en fiestas con amigos en la ciudad de Guatemala. Había fumado por complacer a los otros, menos por gusto. Esta vez había chupado la hierba con angustia. Sin nadie al lado. El humo le pareció una serpiente brillante que se enrollaba en el cuello y desataba la risa. La trató de acariciar en el aire que se hacía ligero y terminó abrazándose y cayendo al piso. La risa seguía, se le remontaba por el cuerpo, le provocó la sensación olvidada del hambre. Y así Gérard fue avanzando en cuatro patas hacia el refrigerador. Movía un brazo y después el otro, y después la pierna y después la otra, como en cámara lenta. Recordó a Claudia de rodillas lista para ser cogida y empezó a reír y a reír hasta que la risa se transformó en llanto. Buscó otro cigarro pero la vista estaba nublada y nadie lo había entrenado para buscar con el tacto. Recordó a Claudia con los ojos vendados probando el último invento culinario que él había logrado a base de combinar lo no combinable. Volvió a reír hasta hundirse otra vez en el llanto. No podía permitirse tanta desolación. Se recompuso en la posición de perro y empezó a bajar la cabeza por los rincones de la sala buscando el cigarro que haría todo más soportable pero no halló nada. Llamar al vendedor es lo que procedía, pensó Gérard, que se para con la ayuda del respaldo del sofá del cuarto de hotel y va hacia la bolsa del saco. Mete la mano y ve en la pantalla un montón de llamadas perdidas. Se ríe. Busca con dificultad el número, pero nadie contesta. Entonces busca otro número, el de una mujer muerta. Llama y no oye nada. El total silencio. Gérard se sienta otra vez en el suelo. Se pone el teléfono en el pecho como queriendo conectar con otra dimensión. Levanta la cabeza y clava la mirada en el techo que da vueltas y vueltas. Se le vienen unas ganas inmensas de morir. Piensa furtivamente en El Búcaro y entonces siente entre las piernas la orina tibia que se riega en la alfombra.

REGINA EN EL UMBRAL

La muerte de Claudia la ensordeció nuevamente. El zumbido de hace cuarenta años volvió en los días siguientes al funeral como recordatorio de las caídas. Sin embargo, esta vez la condición de los años marcó otro tipo de decisiones. Regina no tenía la responsabilidad de un niño y el futuro no era ya una incertidumbre con rumbo ascendente a pesar de las desgracias, sino que le quedaban los años contados en el ejercicio pleno de sus facultades físicas y mentales. En pocas palabras, como le dice a Andrés, tenés que saber que estoy envejeciendo, lo siento en el cuerpo y en las ideas. Regina necesitaba explicar a Andrés las coordenadas de un cuerpo menos ágil, los achaques y las terapias de una menopausia temprana, el cansancio que había días ralentizaba el habla y la hacía tropezar en reiteraciones o ideas inconclusas. Era como una advertencia para ella misma. En voz alta quería escuchar sus cincuenta y cuatro años.

Andrés la observa fijamente. Había venido a contarle de la voz degradada de Gérard. Regina había escuchado como si ya supiera las circunstancias, y de pronto, había empezado aquella declaración. Andrés piensa que sobran las palabras en este punto en el que los dos se han encontrado. Anhela el calor de la piel.

Se acerca a Regina. Lo empuja la constatación de que la vida se termina de un día al otro. La muerte cercana acelera la voluntad de vivir sin tanta explicación. Entonces Andrés toma las mejillas de Regina y su lengua deja de articular sílabas y se desliza áspera y dulce sobre la piel de Regina, la enjuaga de la tristeza de las últimas semanas y se oye en las gargantas de ambos un gozo dilatado de gemidos. Regina conduce a Andrés al sillón y allí los amantes se entregan a succiones hasta que ella toma el pene de Andrés y restregándolo le pide que se venga, y él obediente tiembla. Hay *pathos* en los gritos de ambos. Andrés pone la cabeza en el regazo de Regina como animal domesticado mientras ella se pierde en la dimensión del misterio. Por la lámina del balcón corre una gata en celo.

EL RETORNO

El reflejo de la televisión laceró la mirada de Regina. Pensó que, como en *El exorcista*, ella caminaba al revés, en cuatro patas y con el rostro endemoniado. Oyó que los tambores de *La granadera* subían por los conductos del oído, como si hubieran estado guardados allí, listos para redoblar, listos para marcar este gran retorno. Recordó Regina, al ver al presidente rodeado del estado mayor del ejército en la sala de banquetes del Palacio Nacional, los uniformes verde olivo, los rostros animalizados, las boinas rojas y también los gritos. Había crecido a ritmo de golpes de estado y elecciones fraudulentas. Había aprendido que, cada tanto, como ahora que Andrés se ha ido y ella está sola, las transmisiones desde el Palacio Nacional esparcían la anacronía como remedo de rumbo. Dijo el presidente comediante que el gobierno no renovaba el mandato de la Comisión Internacional contra la Impunidad en Guatemala. Dijo el presidente lo que Claudia había anunciado en la última cena, se dificulta la esperanza. El tono certero de Claudia emergió frente al televisor como la voz de una Casandra muerta antes del presagio. Pensó, cuán poco había conocido a Claudia.

Regina se asoma a la ventana y examina las calles vacías. Los tanques militares están cerca de la embajada estadounidense. El último golpe de estado en el país había sido el del 9 de agosto de 1983. Ella cambiaba entonces los pañales de Gérard. Su madre lavaba los platos. Su padre estaba en la estación de radio. El mismo silencio en las calles que la empuja a cambiarse y salir del apartamento rumbo al edificio en donde Gérard está apostado. Mientras maneja ella pronuncia la palabra caníbal. Contra el vidrio mojado por una lluvia fina, ella vislumbra escenas de la película que vio con Martin en el cine del barrio, una de las tantas tardes oscuras de invierno. Tres ejecutivos exitosos europeos pernoctan en un hotel de una ciudad en el tercer mundo, del que no les interesa conocer nada, solamente les importa como mercancía. Se devoran por ascender en la compañía que representan y, en esa lucha, el último asalto no es de ellos, sino de una sublevación en la ciudad que amenaza con invadir el hotel, y entonces, devorarlos. Su hijo está agazapado. La clase social a la que ella pertenece también lo está. Con la imagen de una boca enorme en la mente, Regina toca la puerta que es abierta por un hombre que ya no es Gérard. Regina se apoya en una columna, como si de pronto los cimientos de la ciudad se hubieran tambaleado. Estaban en una tierra volcánica, y su hijo temblaba.

No estoy para hablar, aclara Gérard restregándose el rostro.

Regina entra y va hacia las ventanas. Abre las cortinas y deja entrar el aire. Quisiera sentir lástima por Gérard, pero no puede. Fue educada para seguir adelante y guardarse los afectos. Prefiere ir a la cocina y examinar el refrigerador. Encuentra un cartón de leche y dos botellas de agua.

Voy al supermercado.

No tengo hambre, quiero estar solo.

Voy al supermercado y regreso.

Qué necedad mamá.

Voy al supermercado, voy a cocinar.

Puta, mamá, en qué idioma debo hablar.

Ya regreso.

Regina está dispuesta a sacar a Gérard del hotel antes que él mismo se devore. Y esa operación empieza por normalizar la vida, por comer. Regresará con bolsas llenas de alimentos. Preparará un cocido. Arreglará la mesa y se sentará enfrente de Gérard, quien jugará con las verduras y tomará cucharadas de un caldo que, por primera vez desde la muerte de Claudia, le provee de cierto calor en el cuerpo.

Apenas hablan madre e hijo. Piensan mucho. Al final, mientras Regina arregla los platos en la lavadora, le cuenta a Gérard sobre Trompeta. Gérard sonríe al escuchar el sobrenombre de su abuelo, se concentra en la voz fingida de Regina que hace presente en ese apartamento la radiodifusión de un hombre trabajador. Gérard aprende sobre la superación del periodista en contra de la precariedad y la tristeza. Se queda atónito cuando se entera de los días previos al infarto.

Así es, Gérard, el corazón se le explotó de angustia.

Gérard ve para el suelo. Está ingresando en la intimidad desconocida de su madre, la muda, la expatriada.

CAJA/SALIDA

Él estaba convencido de que las pesadillas no lo dejarían en paz. Siempre aparecía en ellas la carne. El espacio de sus sueños se había vuelto un congelador con huesos, piernas, menudos, caderas. Despertaba Gérard con el cuerpo sudado de frío, aterrorizado por la sangre y el hielo. Se tocaba los brazos, las piernas y los genitales para cerciorarse de que estaba completo.

Como Regina volvía cada día para cocinar y no habría forma de contenerla, Gérard le pidió que excluyera reses, pollos, marranos de cualquier comida.

Simplemente vomito, había dicho Gérard.

Las visitas vegetarianas de Regina se acompañaron de informaciones dispersas sobre Trompeta. Era el único tema que Gérard estaba dispuesto a escuchar. Pensaba en el abuelo desconocido como un espécimen incongruente con él y su madre. Los dos gravitaban siempre en torno a la fuga. Su madre de Guatemala, él de Alemania, y ahora él de Guatemala y su madre de Alemania. Les perseguía una inestabilidad. Hubiera deseado la alegría epidérmica del abuelo, su inocente y cursi alegría.

El trabajo, eso te hace falta, acota Regina, en su empeño por acabar con el estado de excepción del hijo. Gérard no tiene tiempo de replicar o asentir, pues el teléfono suena. Es el número de Zoila. Gérard ha rehuido todo contacto y no contesta. Pero las llamadas se repiten y Regina no resiste.

Contestá. Es la mamá.

Zoila le recuerda a Gérard que deben desocupar el apartamento de Claudia. El arrendador ha tratado de comunicarse con él, pero a falta de respuesta, la llamó a ella.

Mijo, yo no me siento con fuerzas.

Gérard promete que él llevará a cabo la operación, sabiendo que se limitará a meter cosas en cajas. En la funeraria, no recuerda quién le había aconsejado postergar la selección de los objetos que se conservarán después de la muerte. Nunca proceder a esa operación en los primeros días, cuando el dolor inhibe el reconocimiento y se desecha arbitrariamente, destruyendo las constancias que después podrían iluminar la historia de quien ha fallecido. Con el transcurrir del tiempo, la rabia cede y se reemplaza por la nostalgia que forja la preservación y el llamado a reconstruir al ser amado. Gérard está lejos de ese momento y duda qué contestar ante la pregunta del empleado de Office Depot.

¿Son las cajas para cambiarme de casa?

Gérard termina por asentir, son para cambiarse de casa, y toma los cartones para apilarlos en el carro. Maneja por rutas estériles que retardan la llegada al parqueo cerca del edificio a donde ha rehuido volver. Pide ayuda al dueño del parqueo para llevar la carga. Podría hacerlo solo, pero Gérard requiere compañía para entrar en el apartamento. La primera impresión al cruzar la puerta es la del espacio intacto, como si nada hubiera cambiado desde la última vez que vio a Claudia allí. Gérard tiene la sensación fugaz de que ella se asomará por alguna puerta. Sin embargo, una vez que el ayudante desaparece, el apartamento se anega de ausencia. Gérard mueve los brazos como queriendo salir de ella. Chapotea contra el ahogo.

Por dónde empezar a vaciar, se pregunta en voz alta. El asunto del moho lo conduce a los libros. Se propone hacerlo con rapidez. Va bajando y acomodándolos en las cajas. Eventualmente lee algunos títulos al azar *The Human Condition*, de Hannah Arendt; *La patria del criollo*, de Severo Martínez; *Weaving Space: Textiles and Tales from Guatemala*, de David Greene; *Terror in the Land of the Holy Spirit, Guatemala under General Ríos Montt, 1982-1983*, de Virgina Garrat Burnett; *El fin de los mitos y los sueños*, de Ana María Rodas. En el examen precipitado de lomos y carátulas, hay un libro prestado de la biblioteca –manchado y medio deshojado– que atrae la atención de Gérard. Lee el nombre del cabrón en la portada. En esas semanas, abstraído de las redes y el mundo, Gérard no ha sabido del macho intelectual que se queja de linchamiento. Son contadas las muestras públicas de empatía que recibe el profesor de quienes otrora eran amigos y seguidores. Del árbol caído, dice el refrán. Del árbol caído, también aquel libro, sobre el que Gérard escupe. Tenerlo en las manos inyecta movimiento a Gérard, quien asume la identidad de un autómata. Ya no lee, ya no examina, sigue el consejo de la persona anónima de la funeraria, guardar para otros tiempos. Así, amontona libros, pedazos de telas que encuentra en una gaveta, ropa, fotos, cuadernos, computadora, hasta cosméticos. El libro del profesor lo bota a la basura. Por qué se torció todo, se pregunta Gérard.

PISTOLA Y CARNE

Es una mañana límpida. Sin nubes. Gérard piensa que menospreció el peso del arma. La imaginó como las que disparaba de niño en contra del vecino, jugando a policías y ladrones. De plástico y livianas. Pero esta es de plomo y a él le cuesta sostenerla.

No le tenga miedo, ese es el primer paso, le dice el empleado de esta tienda improvisada en medio de la zona 9, donde de niña Regina caminó entreteniéndose con ver los chalets con vastos jardines, como el Palacio de la Nunciatura, y donde hoy proliferan prostíbulos y ventas de objetos robados.

Gérard sigue las instrucciones del vendedor, quien invirtió los primeros minutos en explicar las opciones del mercado. Insistió en que todo depende del objetivo.

Tiene que aclararse. Preguntarse cuál es el objetivo. A partir de allí, le ofrecemos la mejor opción.

Gérard ha dicho que quiere proteger su propiedad y, por eso, lo mejor es una calibre 22, una semiautomática.

Son fáciles de manejar, ya se va a dar cuenta. Pueden ser muy efectivas a corta distancia, además la munición es muy barata. Menos riesgos de herir a los vecinos, otra ventaja.

Gérard había imaginado a un matón que le vendería el arma. Sin embargo, este empleado, que no pasará de los treinta años, podría parecer el gerente de una empresa transnacional. Utiliza un vocabulario preciso, quiere demostrar a cada tanto que es un experto en la materia. Viste una camisa y unos jeans de marca. Sus maneras más bien son suaves y convincentes.

Poco a poco se va a familiarizar. ¿Me permite?

El empleado agarra las manos del cliente y dice que se fije en el triángulo que debe formarse al empuñar el arma. Gérard se acomoda a los movimientos del empleado y, frente a un espejo, se ve a sí mismo, listo para disparar.

¿Ve que no es difícil? La práctica hace al maestro, así que después de unas horas de entrenamiento, va a adquirir confianza.

Gérard sale de la tienda con una bolsa plástica, adentro va el arma, un par de instructivos y folletos de academias de tiro que ofrecen cursos de inmersión rápida. Camino al parqueo pasa por una venta de churrascos. No soporta el olor a carne asada. Se ha vuelto un vegetariano con un arma.

SONRISA

El mismo día de la compra, Gérard se inscribe en el Club de Tiro Hincapié. Su instructor es un hombre de rasgos indígenas con corte de pelo militar, que sonríe continuamente. Podrían insultarlo o contarle una tragedia, pero el instructor respondería con la boca abierta hacia los laterales y dos arrugas extremas en los cachetes. Gérard desconfía de ese gesto reiterativo. Sin embargo, se dice a sí mismo que no está allí para simpatizar con nadie, sino para aprender a usar el arma. Y en eso el instructor es eficiente. Él parte de la premisa de que el arma constituye un agregado del cuerpo. El meollo del asunto radica en incorporarla con firmeza y empatía. Sobre todo, con paciencia.

No se desespere, hay que tener paciencia con uno mismo, indica el instructor cuando el alumno acerca el objetivo y los impactos de las balas apenas han rozado la silueta del cuerpo. Gérard le pide que dispare.

Tal vez viéndote aprendo mejor.

El instructor contesta con la sonrisa. Se pone los audífonos, coloca el objetivo, empuña el arma y dispara. Esta vez la silueta blanca tiene cinco perforaciones en el corazón. El instructor vuelve a sonreír.

Gérard no resiste el comentario.

Qué dientes más fuertes los tuyos, vos.

Esta vez el instructor no sonríe. Se limita a acotar que los dientes sirven como una segunda arma. Más incorporada que la pistola. Gérard imagina que se refiere a un arma metafórica, a desafiar la tristeza con esa sonrisa hipostasiada de dientes grandes. Pero no, el instructor se refiere al filo de los molares. Le cuenta que, en aquellos tiempos, en la selva, los dientes habían sido útiles.

Pero mejor ni le cuento, dice el instructor con una enorme sonrisa.

Gérard traga saliva. Su puntería no progresa en esas primeras sesiones, a pesar de las explicaciones claras del instructor. Cuando está a punto de disparar, el cerebro lo traiciona y se impone entre su ojo y el objetivo una tela blanca. Sin embargo, es persistente y contrata horas extras con el instructor.

¿Se refiere a Manuel, el kaibil? le dice la encargada del club de tiro.

Es el que siempre ríe, replica Gérard.

Sí, entonces es Manuel, concluye la encargada.

Gérard vuelve al polígono de tiro. Divisa la sonrisa de Manuel y desenfunda el arma.

MP

Mientras Regina se desabrocha el brasier y lo pone en la mesita de noche del periodista, Gérard coloca la pistola en el casillero de entrada al Ministerio Público. Busca a la agente fiscal que está a cargo del caso de Claudia. Desde las primeras palabras, hacemos lo que podemos son muchos los casos no hay pistas de un implicado, Gérard se supo metido en una computadora vieja que se traba a cada instante e incendia de frustración al usuario. La arrogancia de Gérard no ayudaba, si por arrogancia se entendía la exigencia de justicia expresada en modo imperativo. Así se lo había dicho la fiscal que saca un fólder amarillento con fotos del cuerpo desnudo de Claudia, diferentes tomas de ese cuerpo, *close ups* de su cuello, que hacen pensar macabramente a Gérard en una campaña de publicidad exitosa contra la violencia. En ese fólder yace también un USB que la fiscal introduce en la computadora y que, según ella, prueba la incapacidad mental de Claudia. Gérard está a punto de estallar, pero la secuencia proyectada en la pantalla lo hunde en el silencio. Puede reconocer a Claudia con una falda larga, una camiseta de fuera y un par de tenis. Camina en distintas salas emparedadas de ladrillo, de pronto saca una tijera, corta los hilos que detienen una tela y luego se da la vuelta, avizora los maniquís de ese museo y termina ensartando las tijeras en uno de ellos. La cámara todavía capta una salida precipitada.

Es el museo Ixchel, señor, dice la fiscal con voz potente, sabiendo que ha propinado un golpe certero a este canche maleducado. Pero la fiscal todavía posee más información. Ha recabado testimonios de alumnos y del jefe de Claudia.

Parece que en los últimos días de trabajo, la señora Claudia estaba fuera de sí. Puso a tejer a los estudiantes de la universidad en lugar de dar clases, y propuso al propio decano un taller de confección para los profesores.

Y entonces según usted por eso la mataron, dice Gérard recuperando la entereza indócil del familiar que busca.

No, no digo que por eso la mataron, le digo que la occisa atravesaba graves problemas mentales.

La palabra occisa es ajena a Claudia. La palabra problemas mentales es ajena a Claudia. Las fotos del cuello lastimado son ajenas a Claudia. Ese escritorio lleno de papeles, esta fiscal, todo colapsa con la memoria de Claudia. Eso piensa Gérard antes de advertir a la fiscal que volverá con un abogado.

Camino a la salida del edificio, Gérard marca inútilmente el número de Andrés. El celular del periodista está silenciado, yace sepultado debajo de las sábanas y colchas revueltas. Horas después, Andrés devolverá la llamada y escuchará con suspicacia la voz de Gérard, interrumpida por tiros al aire, por ráfagas a mansalva. A la pregunta dónde estás, responderá escuetamente, en un polígono.

AUTORA FANTASMA

Andrés elude una vez más escribir la epopeya de la familia de Fritz. Así se lo confiesa a Regina, cuando se viste y se enrolla un viejo cinturón. Regina le propone narrar lo encontrado en el cuaderno de Margot. Enfocarse en la escuela y las dos vertientes pedagógicas que incluyó aquel proyecto, la del material didáctico y la del cuaderno. Ella se ofrece a escribirlo a condición de otro nombre.

Con pseudónimo lo hago. Mejor dicho, con tu nombre.

Andrés no se convence del todo, pues se figura a sí mismo como un apropiador, pero acepta la propuesta para salir de la procrastinación. Regina no espera a que Andrés salga para sacar el cuaderno de una gaveta y estudiarlo con calma. Entre las hojas, encuentra un mapa de Alta Verapaz, estadísticas de analfabetismo de aquella época en la región y unos recibos por compra de lápices Mongol. Regina llama a Adela para que le cuente más sobre la escuela, sin embargo, ella apenas provee un par de anécdotas y reitera el perfil de educadora tradicional de Margot. El cuaderno resulta en un enigma y conduce a la escritura del texto periodístico que tendrá una buena recepción en los lectores. Fritz, en cambio, se sentirá decepcionado, pues hubiera esperado un texto más elogioso. No me gustó, aclara a Gérard, la anécdota de la niña q'eqchi' que pregunta a mi mamá a dónde se debe ir para tener la propia tierra que le han quitado. Sospecha del chisme de Adela. Gérard lo calma, pero por primera vez en la relación con su mentor, se molesta ante los reclamos, el patriarca alemán no alcanza a entender la desolación que está viviendo.

A las pocas horas de la publicación en línea del artículo, en los comentarios, aparece un usuario de nombre Pedro Juárez que afirma haber conocido la escuela y expresa el deseo de conversar con el autor. Andrés ignora por unos días la petición hasta que una noche, a punto de dormir, la comenta a Regina. Ella enciende su computadora para leer el mensaje y Andrés, más dormido que despierto, le advierte de los locos que erran en internet y se inventan lo que sea con tal de tener notoriedad.

Sin embargo, ella se deja llevar por la curiosidad del insomne. Con el nombre de Andrés, escribe un correo al usuario y este contesta en menos de cinco minutos. También es insomne. Vive cerca del Cerrito del Carmen y se pueden encontrar enfrente de la iglesia. Un paisaje infantil se despliega entonces en la pantalla. Regina recuerda los cartones que su papá conseguía en la emisora, cartones que habían sido cajas en donde llegaba equipo para la radio y que le servían a ella y un par de amigos para deslizarse en las faldas de la ermita. Al final de las bajadas y subidas, ella entraba a la iglesia, en la cumbre de la ermita, y experimentaba un ritmo radical, pasar del barullo al silencio absoluto. Su vida se reducía quizás a ese ritmo, pensó Regina al contestar bajo el nombre de Andrés que aceptaba el encuentro, contra el sentido común de una ciudad en cautela y contra el criterio del periodista, que le pide llevar su celular a la mano y, ante cualquier signo sospechoso, desistir y darse la vuelta.

Regina no olvida la advertencia mientras camina en el empedrado y, por primera vez desde que llegó al país, siente nostalgia. Quiere pensar que, estando las coordenadas originarias de la ciudad, resulta inevitable remontar a los recuerdos remotos, los de la inocencia. Por eso escucha los gritos de alegría de los amigos y el eco del viento de noviembre que la envolvía en un frío aventurero hacia las laderas del cerro creyendo que todo descenso vertiginoso tenía feliz final. No se fija en los niños que se intoxican de pegamento ni en un mendigo que grita incoherencias, como el pelele del Portal del Señor de la novela de Asturias. Ella se esfuerza por dulcificar el presente y espera en una banca frente a la iglesia. Atisba cada tanto hombres que entran al atrio y, con cada uno de ellos, instintivamente se levanta. Después de media hora, Regina manda un mensaje a Andrés, tenías razón y, cuando enfila para el regreso, se acerca una mujer que ha estado dando de comer a las palomas.

¿Es usted Andrés? le pregunta a Regina.

¿Es usted Pedro Juárez? inquiere ella.

Pedro Juárez es Carmen González, como Regina Andrés Maldonado. Carmen González es una mujer de pómulos salientes y pelo corto, que rompe cualquier hielo con facilidad. Se sienta al lado de Regina y le cuenta que hace mucho no venía por el atrio de la iglesia, a pesar de que vive a una cuadra y media del lugar.

Hace años que ya casi no salgo de la casa, precisa Carmen.

Regina, que ha vivido tan lejos de esa banca y de esa iglesia, no termina de entender ese casi no salgo de la casa, pero no se precipita por inquirir informaciones. Las preguntas y respuestas fluyen entre las interlocutoras en distintas direcciones. Regina no deja de observar el cuerpo de Carmen y concluye que es la persona no identificada en la foto vieja de Adela. Pero también ausculta los giros lingüísticos y vocablos que usa. Hay expresiones del cuaderno.

¿Escribió usted el cuaderno de Margot sobre la enseñanza en la escuela?

No, yo explicaba ideas y ella copiaba. Decía que se ejercitaba así en el idioma.

¿Y cómo llegó usted a la finca?

De casualidad.

¿Cómo así?

Ya me había graduado de maestra, estaba por ganar una plaza fija, participé en el movimiento de maestros para el aumento de salarios y allí se fue la plaza al garito. Así que, como mi hermana estaba en Cobán, me fui a pasar allí unos días y me quedé.

Carmen y Margot congeniaron de inmediato, a pesar de las diferencias culturales e ideológicas.

Margot vivía en otro mundo, es cierto, y venía de una clase social jodida. Pero no era tonta y dejaba que yo aplicara mis ideas con los niños y después con los trabajadores, mientras la bruja de la suegra no notara nada.

Precisamente, el proyecto de colaboración terminó cuando Emma se dio cuenta de la complicidad entre Margot y Carmen. Vino el despido y una violenta advertencia. Carmen relata que, antes de subirse a una camioneta para regresar a la capital, la agarraron unos tipos, la llevaron a un campo baldío y la apalearon por comunista. La dejaron malherida. Después de semanas en el hospital por una quebradura de clavícula, regresó a la capital. Se sostuvo impartiendo clases en colegios privados por tiempos cada vez más breves.

No duraba porque no me entendían los directores. Que daba demasiada libertad.

Todo empeoró cuando le pedían a ella, atea, convertirse en cristiana. Carmen concluyó que se había vuelto una extraña.

Hay momentos en que uno ya no comunica con una época y entonces mejor encerrarse, ¿no le parece?

Regina se abstiene de asentir. Inconcebible para ella, el encierro. Carmen hace cálculos, lleva un régimen de semiclausura de treinta y cinco años. Un régimen de austeridad lleno de olores dulzones a telas, porque Carmen dejó el oficio de maestra y se dedicó a corte y confección, el mismo oficio que su madre había ejercido.

Ahora con las pacas, ya la gente no gasta en costurera. Pero vivo con lo suficiente.

Los ojos extrañados de Regina invitan a una aclaración.

No me mire con esos ojos de susto. Tampoco es que no tenga contacto con el mundo. Leo mucho en internet. Me divierto sola.

Pero el país no está bien, pronuncia Regina.

No, y nunca lo estará, sentencia Carmen.

Se ha hecho oscuro. Las palomas han desaparecido. La fachada blanca de la iglesia se le figura a Regina un paredón de fusilamiento. El loco grita enroscado en una grada. Regina ve el reloj y se levanta. Carmen ofrece acompañarla al carro. Avanzan las dos mujeres en el empedrado. Al llegar al carro,

Carmen pregunta si Margot vive todavía. Tengo entendido que sí, el hijo es amigo de mi hijo, más bien mentor, comenta Regina mientras abre el carro. Carmen le agradece haberse acercado a su territorio y espera a que el carro arranque. Las dos desean volverse a encontrar, pero ninguna toma la iniciativa.

Regina alcanza a ver en el retrovisor el cuerpo robusto de Carmen, las manos metidas en las bolsas del pantalón y el sosiego que trae el desprendimiento.

VER A CLAUDIA

Gérard solicitó una copia del video de Claudia y le fue concedida. Le da *play* cientos de veces convencido de que a más miradas, más entendimiento, a más repetición, menos desconcierto. Lo persigue un impulso áspero y fatigado. Él también quisiera una tijera para separarse del mundo.

INTROMISIÓN

La parálisis de Gérard desata pulsiones arcaicas en la madre. Ya no basta dar de comer, porque las técnicas de hurgar en los seres queridos, una vez practicadas, marcan los acercamientos en condiciones futuras. El futuro estaba aquí. No se trataba de poner en evidencia al adolescente haragán y mostrarle un porro encontrado, exámenes fracasados, correos estallados de ingratitud. Ahora incumbía a Claudia. Poco la había conocido Regina y le urgía saber más de ella antes de que Gérard se evaporara.

Espera a que aclare para salir rumbo al edificio donde pernocta Gérard. Ya ha averiguado que ese día él debe estar temprano en el Ministerio Público, ese nombre institucional que los persigue como palabra maldita. El encargado del mostrador del aparthotel la ha visto diariamente. Ella ha preparado el camino con comida ofrecida y palabras reconocedoras de una labor eficiente. Esa mañana, con voz compungida, Regina dice haber perdido noción de las ocupaciones del hijo y que debe entrar al estudio para preparar el almuerzo antes de una cita médica. El portero frunce el ceño. Se arregla la corbata y dice bueno, solo porque es usted y la conozco, supongo que su hijo estará de acuerdo. Regina replica que por supuesto está de acuerdo y recibe la llave. En el ascensor, Regina se ve a sí misma en el espejo con cierta culpa. Aprieta los ojos como queriendo desaparecer de este mundo y alcanzar otro. Sin embargo, esta es su galaxia, esta su tierra, este su hijo.

Va directamente a la puerta del apartamento, la abre y corre hacia el fondo del corredor. Divisa las cajas amontonadas que contienen el archivo personal de la asesinada. Regina va preparada. Lleva en la bolsa hojas de papel, lápiz y una tijera. Con ella corta el *tape* de cada caja. Se sienta en el piso y exhuma los objetos. Es la primera vez que realiza trabajo de archivo imponiendo sus propias normas y en soledad. Más aún, es la primera vez que no construirá un relato impersonal de alguien desconocido. Su relación con los objetos es egoísta. Le perturba, al principio, este cambio de condiciones, pero no vislumbra otro camino. Empieza. Desecha perfumes, útiles de escritorio, vestidos, libros, álbumes de fotos. Selecciona los cuadernos. Se siente atraída por la letra a mano y lee. Lo que pasa en las siguientes horas es una lectura que desentierra la vida privada bajo una titulación clara, diario, y otra segunda lectura, que viene a ser una reflexión sobre la historia colectiva y personal, sobre la política y los tejidos de Guatemala. El título de esta reflexión es demasiado barroco para el gusto de Regina: *La nueva nación Ixchel: costuras de la historia política guatemalteca.* Pero Regina prioriza. Se lanza con ansiedad tras el yo del diario. Lee sobre una niñez en medio de la ortodoxia, sobre la lejanía geográfica que abre los ojos pero también el imperativo de la vuelta, porque solamente tengo sentido en el lugar de mis batallas fundamentales, dice la escribiente. Ella menciona que, como en la mayoría de seres humanos, hay un momento de quiebre en su vida, el mío ocurre de pronto, entre el deseo de conocer y la miopía del deseo, cuando decido aquella noche entrar en ese apartamento oscuro. Regina traga saliva, lee las oraciones que narran el descontrol, la agresión, la violencia. Regina lee también el nombre. En segundos se le viene a la mente el encuentro con el colega, la cena en Berlín, el nombre de Claudia que ella misma pronunció en su presencia. Regina cierra el diario, decide por un momento que no puede seguir. Es obsceno lo que está haciendo. Pero gana la ambición de descifrar y se trata ahora del hijo que aparece en la vida de Claudia como quietud y como ancla, son las palabras empleadas. Creo que Gérard anuncia algo definitivo, pero no puedo precisar de qué manera y, como punto de arribo final, me inquieta. Esta vez Regina detiene la lectura. Se levanta, observa tras la ventana la ciudad y se pregunta por la palabra tragedia.

El mediodía calienta la sala. Regina va al baño, se moja el cuello y vuelve a sentarse en el piso. Toma el segundo texto, el legajo de hojas. Claudia ha elaborado un muestrario de tejidos como el que ella, Regina y tantas otras, hicieron en la clase de hogar en la secundaria. Pero ese muestrario es un transitar por épocas remotas y presentes del territorio mesoamericano, territorio que Claudia define envuelto en colores y mortajas. Cada muestra de tejido se acompaña de una reflexión breve sobre los materiales y el momento histórico que representan. Regina pasa las páginas con delicadeza, demasiado por asimilar en el poco tiempo que tiene. Constantemente se ve tentada a la contemplación, afina la mirada para no olvidar hilos de colores o palabras reveladoras, pero sabe que documenta contra el reloj y avanza hasta que frente a ella aparece un tejido de algodón blanco, cosido con puntadas grandes, que evoca los vestidos de los indígenas lacandones que Ubico traía a la capital con ocasión de la feria de noviembre, para ser exhibidos como animales en lo que hoy serían las afueras del aeropuerto nacional. Su padre, de niño, fue uno de los espectadores y recordaba los cuerpos que temblaban de frío y dos líneas de mocos que caían sobre sus bocas. Debajo de la tela, Claudia ha adjuntado un recorte de *El Imparcial*, de 1938, en el que aparece un joven escritor, como encargado de transportar niños, niñas, mujeres y hombres para divertir al pueblo capitalino. Sin embargo, es el patrón de costura para hacer un sombrero cloche, típico de los años veinte, el que devasta a Regina. Claudia invita al lector masculino del libro a que haga su propio sombrero, o si quiere simplificar, se enrolle un turbante, y luego se lo ponga en la cabeza y lo contraste con una foto, donde aparece un radiante estudiante de la Escuela Politécnica que baila con un cadete, simulando ser una mujer.

¿Qué le parece la escena de Efraín Ríos Montt que simula una mujer con el gorro? ¿Es el deseo festivo por ser otra y borrar las barreras de género? ¿O es un gesto opresivo más bien contra las mujeres? ¿Es el intenso deseo por el propio sexo o una puesta en escena de la violencia? ¿Desapareció ese gorro o turbante o se usó en sótanos, en casas clandestinas o despachos donde se ordenó la desaparición y la tierra arrasada? ¿Es la historia de la guerra también la historia de la sexualidad reprimida y asesina?

En la escena observada está certificada la muerte de su padre. Entonces la investigadora se corta y ya no lee un comentario final, tal vez un epílogo, sin Claudia saberlo, "este muestrario es provisional, lo que he adelantado en estos días, no se me olvide incluir en el prólogo mi primera relación con un tejido, el día que me vistieron de india, como se decía entonces, en honor de la Virgen de Guadalupe, el día en que empecé mis batallas".

La parálisis mental de Regina hace inaudible las palabras de Gérard, mamá, mamá qué diablos estás haciendo.

TIEMPO

Sobre la espalda pecosa de Gérard se deshila el sol. Despierta con ganas de empezar el día. Se pondrá ropa deportiva para salir a correr. Después volverá jadeando adrenalina devorada, entrará a la ducha y desayunará pan con miel y queso, yogurt y fruta. Es el desayuno que Rachel, la alemana con la que sale desde hace unas semanas, le ha aconsejado. Probablemente, en algún momento de la mañana, ella mandará un mensaje con algún emoji. Cuando transcurran las siete horas de diferencia con Guatemala, y allá sean las seis de la mañana, será Regina quien mande un escueto buenos días, esperando otro escueto buenos días y así saber que la estabilidad no se ha roto.

Los días se han ido muy rápido. Gérard tiene la impresión de que acaba de llegar a la ciudad hanseática, pero ya se cumple año y medio del embarque en un aeropuerto que le pareció tan miserable como la primera vez que se fue con siete. Recuerda muy bien la tarde cuando manejó como loco por la ciudad, la llegada al cementerio, el arrastrarse como soldado lamiendo la grama y después el llanto. Con el rostro mojado sobre la tierra, supo que había tocado fondo. No quiso escuchar entonces el elogio que su madre haría de un proyecto de libro excepcional que Claudia había escrito y tejido, tampoco quiso leer el diario. La información de Regina confirmaba lo que él sabía. Se retiró de la investigación judicial, cumpliéndose la previsión de Andrés sobre los relatos que terminaban en la nada. La sonrisa sarcástica de la fiscal midió lo pusilánime de Gérard.

Se dedicó entonces Gérard, sin el arma en la mano, a buscar los archivos radiofónicos de su abuelo. Necesitaba despejar la mente de las voces que le decían matá. Fue a la radiodifusora, localizó antiguos reporteros, visitó la Fonoteca de la Universidad de San Carlos, pero la voz de Trompeta se había diluido en los años de la desmemoria. Fue finalmente un estudiante de comunicación que escribía su tesis de licenciatura, quien le proporcionó un USB con la grabación de Trompeta. Apenas duraba cinco minutos. Era un encuentro de varios periodistas interesados en revivir el radioteatro infantil. Gérard escuchó la intervención del abuelo como el adolescente entrampado en una canción que se repite como mantra. El tono de barítono. Las breves preguntas retóricas con una risa. *No nos queda otro camino, señores, inventemos historias, contemos otros mundos y soñemos, ¿no les parece?*

La voz de Trompeta, en esos escasos cinco minutos, empujó a Gérard a tomar un avión sin plan fijo. Solamente tenía claro que regresaría al lugar del que había huido. Y a pesar de que la vida cotidiana de Gérard empezaba a despuntar cierta alegría en Hamburgo, había noches que descendía a lugares de carne muerta. La veía rojiza, sanguinolenta, con nervios y huesos blancos. Despertaba entonces con un grito. Se lo había dicho Rachel, en una de las noches en que ella se había quedado hasta el amanecer. No había podido contarle la razón de sus pesadillas, como tampoco pudo explicar el día que se conocieron en la barra de un restaurante japonés las razones de ser vegetariano. Ella sí se extendió en una ética de cuido del medio ambiente, en el amor a los animales como seres vivos que no merecen la muerte.

Gérard regresará pronto a Guatemala. No sabe por cuánto tiempo o si definitivamente. Su madre se ha dedicado a darle forma al libro-tejido de Claudia. Ha trabajado diariamente en una edición cuidada, ha escrito un prólogo que rinde homenaje a la muchacha que vio un par de veces. Gérard piensa estar en la entrega del libro en la Biblioteca Nacional, muy cerca de donde Claudia vivió, algunos kilómetros de distancia en donde Carmen prosigue un encierro como declaración de vida, y muy lejos de donde Richter se pregunta el porqué de la lejanía de quien creyó podía querer como a un hijo.

El diario quedará inédito. Regina lo custodia con el ego de la investigadora de literatura. A veces piensa que será rescatado en cincuenta años o más, como el día en que ella encontró el diario de María Cruz en los fondos de la casa de César Brañas. No ha podido dejar de bufar la ira contra Alberto Rivera, quien finalmente puede llamarse con tantos nombres, contener tantos profesores. Regina prepara un artículo sobre la academia y la violencia masculina, ya Andrés ha leído algunos párrafos. Él advierte sobre más rigurosidad y la necesidad de historias concretas, como también del imperativo del regreso de Gérard para impulsar la justicia en suspenso.

El sol ha desafiado las previsiones de lluvia en la mañana. Gérard ha salido a tomar un café en el balcón de su pequeño y austero apartamento. Extraña cada día la figura del volcán en el horizonte, a pesar de las catástrofes que traen las erupciones.

Gérard cierra los ojos. Aspira el olor a primavera, que siempre significará la piel amada, la piel de Claudia.

ÍNDICE

ENTRECRUZAR
11

La letrada, de Mónica Albizúrez, ganadora de la I Bienal Guatemalteca de Novela "Terrena" (2022) se terminó de imprimir el 8 de marzo de 2023, Día Internacional de la Mujer, año del sesquicentenario del nacimiento de Enrique Gómez Carrillo (17 de febrero de 1873 - 29 de noviembre de 1927). F&G Editores, 31 avenida "C" 5-54 zona 7, Colonia Centro América, 01007. Guatemala, Guatemala, C. A. Teléfono: (502) 2292 3792, informacion@fygeditores.com
www.fygeditores.com